갑상선 수술 시 부갑상선의 보존

갑상선 수술 시 부갑상선의 보존

둘째판 1 쇄 인쇄 | 2022년 6월 13일
둘째판 1 쇄 발행 | 2022년 6월 24일

지 은 이 홍석준
발 행 인 장주연
출 판 기 획 이성재
책 임 편 집 김수진
편집디자인 조원배
표지디자인 김재욱
일 러 스 트 이호현
제 작 담 당 이순호
발 행 처 군자출판사(주)
　　　　　등록 제4-139호(1991. 6. 24)
　　　　　본사 (10881) **파주출판단지** 경기도 파주시 회동길 338(서패동 474-1)
　　　　　전화 (031) 943-1888　　　팩스 (031) 955-9545
　　　　　홈페이지 | www.koonja.co.kr

ISBN 979-11-5955-286-1
정가 35,000원

갑상선 수술 시 부갑상선의 보존

울산대학교 의과대학
서울아산병원 내분비외과 홍석준

– 저자 약력

　홍석준

– 학력

　1990 .03 ～ 1996 .02 연세대학교 의학 박사

　1980 .09 ～ 1982 .08 연세대학교 의학 석사

　1972 .03 ～ 1978 .02 연세대학교 의학 학사

– 경력

　2000 .04 ～ 현재 서울아산병원 내분비외과 교수

　2008 .04 ～ 2010 .03 대한갑상선내분비외과학회 회장

　1988 .03 ～ 1990 .02 광명병원

　1986 .05 ～ 1988 .02 서울기독병원

　1978 .03 ～ 1983 .02 연세대학교 신촌세브란스병원

– 논문

A comparison of lobectomy and total thyroidectomy in patients with papillary thyroid microcarcinoma: a retrospective individual risk factor–matched cohort study 외 107편

– 수상

2016년도 대한갑상선학회 범산 학술상 수상

– 대표업적

　1) 후복막접근 복강경 부신절제술 국내 최초 도입

　2) 갑상선 수술 시 부갑상선보존술식 개발

　3) 초기 갑상선암에서 보존적 갑상선 수술의 적용

프롤로그

갑상선 수술은 갑상선을 절제하는 술기자체가 어려운 수술은 아닙니다. 갑상선이 큰 장기도 아니고 인체의 깊은 곳에 위치하고 있는 것도 아니며 혈관분포가 복잡하지도 않습니다. 갑장선 제거로만 본다면 mass excision과 같은 느낌의 수술이라고 할 수 있습니다. 제가 전공의 때에는 갑상선 수술을 그렇게 어려운 수술이 아니라고 여겨서 그랬는지 1년차때에도 수술을 받은 기억이 있습니다. 물론 갑상선암이 아니었고 양성 goiter로 전절제도 아닌 일엽절제였습니다. 그 당시에는 부갑상선보존에 대한 개념이 정립되지 않았던 시절이었기 때문에 후두반회신경은 확인했지만 부갑상선은 찾으려는 시도도 하지 않았습니다.

갑상선 혈관은 말초부위에서 절단하지 않고 기시부에서 절단했기 때문에 아전절제를 하지 않았다면 아마도 대부분의 부갑상선이 허혈상태였을 것으로 생각됩니다. 심지어 그 당시 제법 많이 인용되었던 논문에서조차 갑상선 수술 시 부갑상선을 일부러 확인하려 하거나 노출시키려 하면 합병증의 위험성이 높아지므로 하지 않는 것이 바람직하다고 할 정도였습니다(Perzik Am J Surg 135,480-483 1976).

부갑상선보존에 대한 개념이 그런 상황에서 갑상선 절제만은 술기가 간단하기 때문에 외과초년병도 할 수 있는 수술이라고 여겼었지만 부갑상선을 제대로 보존하면서 갑상선 절제를 한다면 어려운 수술이 될 수 있습니다.

저는 개인적으로 위장관, 대장, 간담췌 등 외과 영역의 모든 수술을 해보았지만 부갑상선보존이 기술적으로 가장 어려운 술기라고 생각 합니다.

예전에 제가 수술할 때 조수로 들어왔던 전공의가 교수님의 갑상선수술을 보면 갑상선 수술을 하는건지 부갑상선 수술을 하는건지 모르겠다고 한 적이 있습니다. 그때는 제가 아직 부갑상선보존이 능숙하지 못하여 수술 중 부갑상선보존에 온 신경을 집중하는 것 같이 보였고 수술시간의 상당부분이 부갑상선보존에 들어가는 것을 보니 당연히 그런 느낌을 받았을 것입니다.

특히 저의 부갑상선 보존의 기본원칙은 갑상선조직을 남기지 않고 부갑상선과 분포혈관만을 보존하는 것이기 때문에 더 까다롭고 많은 시간이 소요되었습니다.

물론 부갑상선을 더 쉽게 보존할 수도 있습니다. 부갑상선주위에 갑상선조직을 붙여서 보존하면 시간이 걸리지 않고 쉽게 보존할 수 있으며 실제 많은 외과의가 그런 방법으로 하고 있지 않나 생각됩니다. 이렇게 두 가지 보존 방법이 있는데 각각의 장단점이 무엇이고 왜 제가 저 나름대로의 방법을 개발했는지 말씀드리려 합니다. 이 책의 내용은 부갑상선 보존의 개괄적인 것보다는 제 개인적인 술식을 소개하는 데 중점을 두었습니다.

이 책을 보는 독자 중에는 갑상선 수술을 많이 경험한 분도 있겠고 이제 막 시작하는 초보자도 있겠지만 책의 내용이 제 개인적인 생각을 쓴 것이어서 초보자가 일반적인 지식을 얻기에는 좋지 않을 수도 있습니다. 또 각자 있는 병원마다 나름대로의 수술방법이 있고 술기를 배운 스승에 많은 영향을 받기 때문에 내용에 공감이 가지 않을 수도 있을지 모르기 때문에 제가 이렇게 하게 된 이유나 논리에 대해서도 언급을 하려고 합니다.

제가 부갑상선보존에 대한 책을 쓰려고 하는 생각은 수년 전부터 했습니다. 갑상선 수술을 시작하면서 어떤 strategy를 결정하고 그에 맞는 부갑상선 보존 방법을 고안하였습니다. 경험을 쌓아가면서 어느 정도 제 방법이 타당하고 외부에 소개할 만하다고 생각했지만 더 많은 것을 알게 되고 조금이라도 더 옳은 이야기를 할 수 있을 때까지 기다렸습니다. 이제 정년을 맞이하여 때가 되었습니다.

그런데 막상 쓰려고 하니 과연 이것이 책을 쓸만한 가치가 있는 것인지 하는 생각이 들어서 망설여졌습니다. 그래서 시작을 차일피일 미루고 있었는데 어느 날 문득 지금 내 나이에 점차 뇌기능이 떨어져가는게 느껴지는데 더 시간을 끌다가는 나중에는 쓰고 싶어도 쓸 수가 없게 될지도 모르겠다는 생각이 들었습니다. 갑상선수술을 한 24년이라는 짧지 않은 기간 동안 나름대로 열심히 노력해서 얻은 지식인데 지금 이 작업을 하지 않으면 은퇴한 후에 후배들에게 전해주고 싶어도 못한다는 생각이 들어 펜을 들었습니다.

이 책에 제가 부갑상선보존에 대해 갖고 있는 생각과 지식 보존의 know how를 하나도 남기지 않고 모두 쏟아내려 합니다. 아마도 이 책을 읽으시다 보면 제가 학회 등에서 강의한 내용도 확인하시게 될 것입니다. 특히 제가 내분비외과학회회장 퇴임기념강연의 내용이 이 책의 내용의 기본골격이 되리라고 생각합니다.

그리고 그간 제가 수술하면서 제자들에게 가르치던 것들도 하나하나 되새겨 가면서 내용에 포함시키려 합니다. 오히려 그런 수술 시 필요한 소소한 내용이 실제로 여러분에게는 더 도움이 될지도 모르겠습니다.

저는 개인적으로 외과의사가 된 것을 큰 복이라고 생각했었고 또 갑상선수술을 전문으로 하게 된 것을 행운이라고 생각합니다.

왜냐하면 갑상선수술 그 중에서도 부갑상선보존은 아주 정교한 수술솜씨가 필요하고 저는 그런 것을 매우 즐겨 하기 때문입니다.

갑상선수술을 오랜 기간 하면서 행복했었고 이제 정년을 맞아 이 책을 쓰게 되면서 자연스럽게 감사하게 생각하는 분들을 언급하지 않을 수 없습니다.

우선 일을 잘 할 수 있는 건강한 몸과 정신을 주신 부모님께 감사 드립니다. 제가 대학진학할 당시 집안형편이 넉넉하지 않았는데도 자식이 의대에 가겠다고 무리한 욕심을 부리는데도 뭐라 한마디 하지 않으시고 허락해 주셨습니다. 이제 어머니 살아 생전에 이글을 쓰게 되어 기쁩니다. 그리고 여러 선배, 동료, 후배가 많은 도움을 주셨는데 위로는 우선 제가 외과의로서의 기본자세와 수술술기에 있어서 롤모델이 되어주신 이경식선생님, 그리고 내분비외과의로서 활동하는 데 있어서 많은 가르침과 격려와 칭찬으로 큰 힘을 주신 박정수교수님, 아산병원에서 같이 일하면서 많은 도움을 주신 송영기교수님을 비롯한 내과교수 여러분, 병리과 공경엽교수, 송동은교수, 핵의학과 류진숙교수님께 감사드립니다. 그리고 이 책을 쓰는 작업에 도움을 준 의국비서 김진향 양에게도 감사의 말씀을 드리고 아산병원 내분비외과 후배 정기욱교수, 성태연교수, 이유미교수, 김원웅교수에게 앞으로 더 수술술기를 발전시키도록 감사와 부탁의 말씀을 드립니다.

마지막으로 이 책이 나오는데 있어서 누구보다 큰 힘이 된 조력자라고 생각하는 저의 안사람 김연림여사에게 진심으로 감사드립니다. 지금까지 힘들게 모든 집안살림을 도맡아 해서 제가 일에 전념할 수 있게 해주셨습니다. 이 책으로 조금이나마 보답이 되었으면 좋겠고 또 기뻐해주시리라 기대합니다.

/ Content /

01.

본인의 부갑상선보존원칙과 이러한 원칙으로 부갑상선을 보존하게 된 유래

저의 부갑상선보존원칙은 갑상선조직을 남기지 않고 부갑상선과 그에 분포하는 혈관만을 보존하는 것입니다.

즉 완전한 갑상선전절제를 하면서 부갑상선을 보존하는 것입니다.

제가 이런 방식으로 부갑상선을 보존하게 된 유래를 말씀 드리겠습니다.

제가 외과 전공의 과정을 지낸 시기는 1980년대 초였습니다.

그 당시는 아직도 갑상선암 수술의 술기가 체계적으로 갖추어 있지 않고 분과로 되어있지 않아서 외과의마다 제 나름대로의 수술방법으로 수술을 하던 시기였습니다. 갑상선암 수술을 하면서 후두반회신경은 확인하지만 부갑상선은 확인하려는 시도도 하지 않고 갑상선 피막을 작은 스폰지스틱으로 문질러 내려서 부갑상선이 떨어져 나가지 않으면 다행이고 아니면 할 수 없다는 식으로 수술을 하였습니다.

당연히 부갑상선에 분포하는 혈관을 분리하여 보존한다는 개념이 없었습니다.

그래서 저는 전공의 시절에 아주 수준 낮은 수술밖에 경험하지 못했습니다. 그리고 그 당시는 지금과 같이 전임의 제도가 확실히 자리잡지 않고 막 시작하는 시기여서 저는 전임의 과정도 거치지 않아 그나마 따로 전문적인 수련을 받지도 못했습니다. 그런 제가 1995년부터 아산병원이라는 큰 병원에서 갑상선환자를 책임지고 수술 해야 하는 상황을 맡게 되니 그 부담감은 말할 수 없이 컸습니다. 갑상선암 수술을 하면서 저칼슘혈증도 오지 않게 하고 사망률과 재발률도 낮게 하는 두 마리 토끼를 잡아야 하는데 어떻게 해야 할지 그때까지 제가 보아왔던, 해왔던 수술로는 한계가 있는 것 같았습니다.

그리고 갑상선암환자를 치료한 경험도 많지 않고 또 장기간 추적관찰한 경험도 없었습니다. 갑상선암이 어떠한 성격의 병이라는 체험을 통해 느낀 개념이 없었던 처지였기 때문에 어떤 식으로 수술할지 Policy를 세우는 데 문헌에 의존할 수밖에 없었습니다. 그 당시 유두상갑상선암의 수술 범위, 즉 total thyroidectomy와 less than total thyroidectomy 사이에 어느 것이 좋은지에 대한 논란이 지속되고 있던 때였고 방사선요오드치료도 중요시 되었었습니다.

그런데 초보자일수록 그리고 젊을수록 Aggressive한 의견에 기울어 지는 것이 일반적이어서 저도 고심 끝에 유두상갑상선암 환자의 치료는 갑상선전절제와 방사성요오드치료를 우선하는 방향으로 마음먹었습니다. 그리고 그 당시에는 아직 갑상선초음파가 활성화 되기 전이어서 암이 많이 진전된 상태로 내원하는 환자가 많았던 것도 이러한 결정에 영향을 미쳤다고 생각합니다.

그러나 막상 이렇게 Policy를 정하고 나니 부갑상선 보존이 해결해야 할 큰 난제로 남게 되었습니다.

물론 갑상선전절제를 하더라도 아전절제나 근전절제를 하면 합병증률을 낮출 수 있겠지만 저는 방사성요오드치료의 효과를 극대화 하기 위해서 완전한 갑상선전절제를 목표로 하였기 때문에 어떻게 부갑상선을 보존해야할지 고심하면서 문헌을 보다가 제 마음을 끄는 그림을 하나 보게 되었습니다(Head & Neck Surgery 6: 1014-1019 1984). 갑상선에서 부갑상선과 혈관만을 분리해내는 개념입니다(Fig 1).

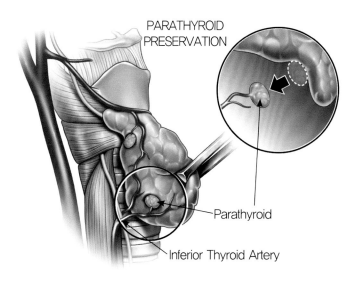

Fig 1. Head&Neck Surgery 6:1014-1019, 1984

보기에는 참 멋있어 보였습니다. 그러나 실제로 이렇게 하는게 보통 어렵지 않을 것이라고 생각하지만 과감히 도전해보기로 마음먹었습니다.

어떻게 보면 합병증 보다는 암의 치료를 더 우선하려는 생각이 있었기 때문에 이런 결정을 했던 것이지만 결과적으로는 나중에 합병증률을 낮추는 데 더 나은 결정이 되었습니다.

이점에 대해서는 나중에 다시 한번 자세히 말씀 드리겠습니다.

이렇게 제가 부갑상선보존방법을 정하게 된 유래를 장황하게 얘기한 이유는 부갑상선 보존방법을 정할 때 단순히 부갑상선보존율을 높이기 위한 목적으로만 하지 말고 효과적인 갑상선암 치료를 전제로 하고 그에 따라 적합한 부갑상선보존방법을 고안해야 한다는 것이 옳겠다는 저의 생각을 말하기 위한 것입니다. 부갑상선보존방법을 스승이나 선배로부터 배워서 하건 본인이 고안해서 하건 이러한 점을 고려해서 정하는 것이 바람직하다고 생각합니다.

이렇게 부갑상선을 보존하기로 정하고 나니 자연히 부갑상선의 surgical anatomy를 알아나가야하는 과정에 들어가게 되었습니다.

02.

부갑상선의 Surgical anatomy와 이를 알기 위한 과정

부갑상선을 보존하기 위해서는 당연히 부갑상선의 해부를 잘 알아야 합니다. 부갑상선의 해부는 부갑상선의 위치와 분포하는 혈관의 양상을 말하는데 부갑상선의 크기가 작고 초보자의 경우에는 형태를 확인하는 것도 쉽지 않습니다. 혈관도 매우 가늘어서 어느 정도 실전에서 경험을 쌓아 해부를 알기 전에는 문헌에 나오는 해부에만 의존하여 실제 수술에서 혈관을 다치지 않고 부갑상선을 성공적으로 보존하기는 어렵습니다.

예를 들어 복강 내의 위나 간 등 큰 장기를 수술할 때는 갑상선에 비해 혈관이 크기 때문에 초보자도 수술하면서 빠른 시일 내에 해부학적 지식을 습득하여 혈관을 찾아낼 수 있게 되지만 갑상선의 경우는 혈관이 가늘어서 찾기가 어렵고 무엇보다 큰 차이점은 다른 장기는 떼어내는 수술이기 때문에 분포하는 혈관의 기시부만 확인하여 절단하면 되는 반면에 부갑상선은 보존하는 수술이기 때문에 분포하는 혈관의 기시부부터 말단부위까지 혈관의 주행 양상을 모두 알아야 한다는 점입니다. 그리고 말단으로 갈수록 혈관이 아주 가늘어서 한층 세밀한 혈관 해부에 대한 이해가 필요합니다.

그렇지만 처음 시작할 때는 어쩔 수 없이 해부를 문헌으로 공부할 수밖에 없는데 문헌에 나오는 내용도 부정확한 경우가 종종 있어서 실제 수술하는 데 전혀 도움이 되지 않을 수 있습니다. 대표적인 것이 국내에서 외과의 교과서 같이 많이 보고 있는 Sabiston textbook of surgery 17th ed에 언급된 다음과 같은 내용입니다.

"부갑상선의 분포 혈관은 상하 모두 하갑상선동맥에서 오며 하갑상선동맥이 끊어지면 상하부갑상선 모두 혈류가 차단될 수 있으며 COLLATERAL BLOOD SUPPLY는 없다."

이는 전혀 사실과 다른 잘못된 기술입니다. 이외에도 문헌마다 내용이 조금씩 다른 경우가 있는데 '상부갑상선의 경우 주된 혈류 공급은 하갑상선동맥이고 일부에서만 상갑상선동맥에서 받는다는 것과 거의 모든 상부갑상선은 상갑상선동맥에서 공급을 받고 일부에서 상하갑상선 동맥이 연결되어 있다. 따라서 상부갑상선의 주된 혈류 공급은 상갑상선동맥이다' 라는 상이한 내용이 있습니다.

그런데 정작 문제는 부갑상선이 어느 혈관에서 혈류 공급을 받는지를 아는 것으로 수술을 할 수는 없다는 것입니다. 문헌에 나오는 내용이나 그림을 보았다고 그것이 바로 실제 수술 시 눈으로 볼 때 바로 똑같이 적용될 수는 없습니다. 상하갑상선동맥중 어느 혈관에서 공급을 받는지 알았어도 혈관의 주행양상이나 분지의 모양들이 워낙 다양하기 때문에 문헌의 내용은 약간의 길잡이가 될 수는 있지만 해결해 주지는 못합니다. 여러분이 수술을 하면서 문헌에 나오는 내용이나 그림을 실제 육안적 소견과 비교하고 연결시켜서 각자의 머리속에 혈관분포의 양상을 나름대로 각인시키는 과정을 겪어야만 실제 수술 시 쓸 수 있는 지식이 습득되는 것입니다. 어찌 보면 어느 수술에나 다 같은 과정을 겪는 것 아니냐 할 수 있지만 부갑상선의 해부는 제가 해본 외과 영역의 어느 장기 수술보다 해부가 복잡하기 때문에 지식 습득이 더 어렵다고 생각합니다.

더욱이 저와 같이 독학으로 공부하는 사람은 하나하나의 수술을 하면서 스스로 해부를 알아 나가야 하기 때문에 해부의 지식은 습득하는 데 더 시간이 걸릴 수밖에 없었습니다.

저의 경우 어느 정도 기본적인 부갑상선 해부를 알게 되기까지 약 1년 반정도 시간이 지난 것 같습니다. 여기서 기본적인 부갑상선의 해부를 알게 되었다는 의미는 본인이 수술 중 파악한 혈관의 주행이 옳은 것인지 아닌지 어느 정도 판단할 수 있게 되었다는 것입니다. 제가 갑상선수술을 시작한 초기에는 부갑상선이 잘 보존되었을 때는 제가 파악한 혈관의 주행이 옳았는지 알 수 있지만 부갑상선이 허혈이 왔을 때는 제가 혈관의 주행을 잘못 파악한 것인지 아니면 혈관의 주행은 옳게 판단했지만 혈관이 다쳐서 허혈이 온 것인지 구별 할 수 없었습니다.

그래서 수술할 때마다 나름대로 파악한 혈관 주행을 수술 후 복기하여 그림으로 기록해 놓았는데 경험이 쌓이면서 혈관이 손상되는 빈도가 낮아졌고 제가 판단한 혈관 주행이 옳았는지 아닌지 구별할 수 있게 되면서 점차 많은 기록을 통해 혈관주행 패턴이 인식되기 시작했습니다 (Fig 2). 그래서 1년 반정도 시간이 지난 후에는 부갑상선 보존할 때 어느 정도 제가 육안으로 파악한 혈관의 주행이 옳다는 자신을 가지고 할 수 있게 되었습니다. 그래서 그때까지 알게 된 내용을 분류정리해서 처음으로 학회에서 보고하고 학회지에도 발표했습니다(대한외과학회지 1999;57;820).

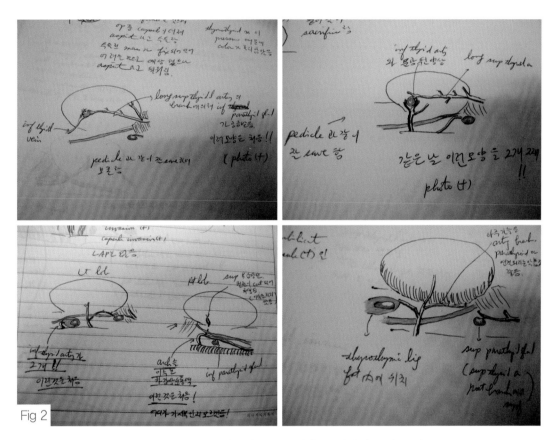

Fig 2. 수술후 부갑상선보존 소견을 복기하여 그린 그림

처음에는 혈관의 분포가 비교적 복잡하지 않은 하부갑상선에 대해서 분류하였고 다음으로 상부갑상선의 혈관 분포에 대해서 분류하였습니다. 부갑상선의 위치와 혈관 분포를 조합하는

개념으로 분류를 시도하였는데 제가 관찰한 부갑상선의 해부를 모두 포함시키려 하다 보니 특히 상부갑상선의 분류가 너무 복잡하고 많은 형태가 나오게 되었습니다. 분류가 너무 복잡하면 처음 볼 때 오히려 해부의 개념을 잡기가 어려울 뿐만 아니라 실제 수술에 적용 하는 데에도 도움이 되지 않을 것 같았습니다. 그래서 가지치기를 해서 가능한 기본이 되는 줄기를 강조하는 단순한 형태로 정리해서 최종적으로 분류하였습니다(Fig 3, 4).

물론 cadaver를 가지고 혈관에 착색 물질을 주사한 후 관찰한 것이 아니고 수술 시 육안 관찰한 것이기 때문에 아주 미세한 혈관을 보지 못 할 수도 있어서 정확성이 떨어질 수 있다고 생각합니다. 예를 들자면 상부갑상선의 혈관이 상갑상선동맥과 하갑상선동맥이 연결된데서 나오는 경우가 있는데 이 연결부위의 혈관이 아주 가늘면 cadaver dissection에서는 보여도 육

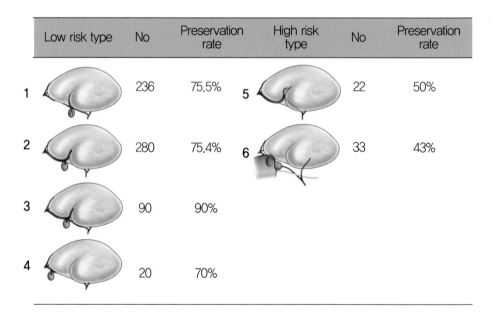

Upper Parathyroid

Low risk type	No	Preservation rate	High risk type	No	Preservation rate
1	236	75.5%	5	22	50%
2	280	75.4%	6	33	43%
3	90	90%			
4	20	70%			

Fig 3. 상부갑상선의 위치와 혈관분포에 따른 분류

안으로는 관찰되지 않아 상하갑상선동맥 어느 하나에서만 공급되는 것으로 보일 수 있습니다. 그러나 그렇다고 저의 분류가 가치가 떨어진다고 생각하지는 않습니다. 상부갑상선에 혈류가 상하갑상선동맥에서 모두 공급된다고 하더라도 어느 한 혈관이 너무 가늘면 실제 수술 시에는 보존이 불가능하고 다른 좀 더 굵은 혈관의 주행이 중요한 것이기 때문에 저의 분류의 가치는 혈관 주행의 pattern을 파악하는 데 있고 그것이 실제 수술하는 데 도움이 되는 것이지 어느 부갑상선에 어느 혈관에서 몇 %의 혈류 공급을 받는다는 것이 중요한 것은 아닙니다.

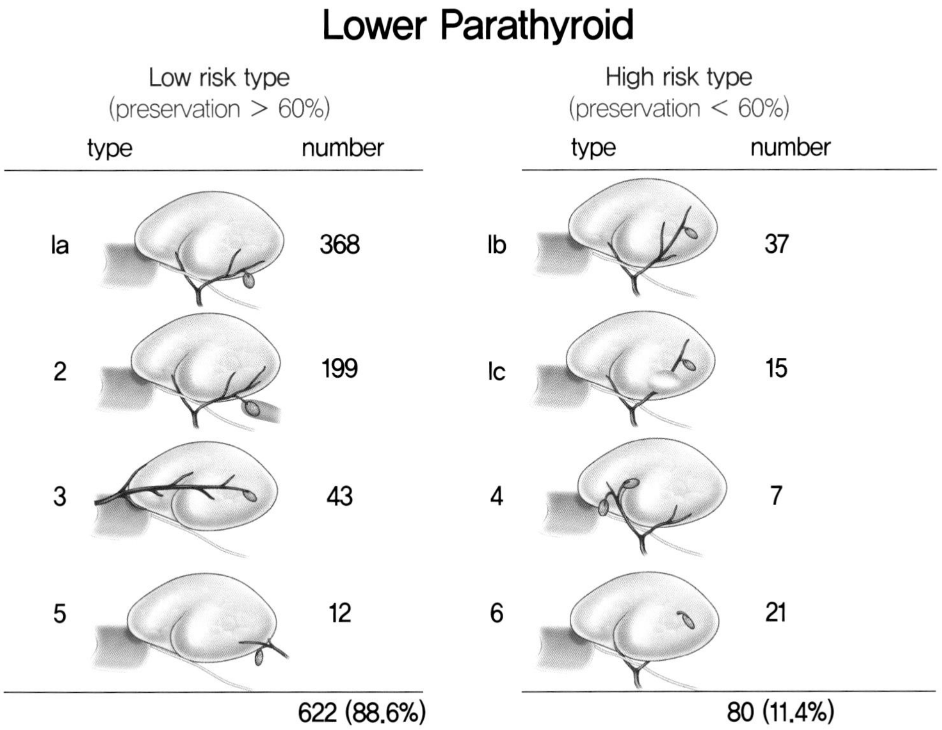

Lower Parathyroid

Low risk type (preservation > 60%)		High risk type (preservation < 60%)	
type	number	type	number
Ia	368	Ib	37
2	199	Ic	15
3	43	4	7
5	12	6	21
	622 (88.6%)		80 (11.4%)

Fig 4. 하부갑상선의 위치와 혈관분포에 따른 분류

03.

부갑상선의 위치와 혈관분포의 조합에 의한 해부학적분류

1. 상부갑상선

상부갑상선은 하부갑상선에 비해 위치의 변동이 많지 않기 때문에 찾아내기는 용이한 편입니다. 대부분 Zuckerkandle tubercle의 하단부를 중심으로 멀리 떨어져 있는 경우가 드물기 때문에 비교적 용이하게 찾을 수 있습니다(Fig 3, type 1, 2, 3). 간혹 부갑상선 혈관이 길면서 부갑상선이 식도 쪽으로 후방에 위치한 경우가 있으나 찾기가 어렵지는 않습니다. 그런데 상부갑상선이 찾기 어려운 경우가 간혹 있는데 부갑상선이 Zuckerkandle tubercle의 전방으로 올라가 groove에 있거나(Fig 3, type 5) 심지어 groove에 묻혀 있는 경우, Berry 인대에 붙어있는 경우(Fig 3, type 6), 갑상선의 upper pole 가까이 위치한 경우(Fig 3, type 4) 발견하기가 어려울 수 있습니다. 따라서 Zuckerkandle tubercle 말단부를 중심으로 살펴서 상부갑상선이 발견되지 않으면 이러한 곳에 있을 가능성을 염두에 두고 잘 관찰해야 합니다. 그리고 이러한 곳에 위치한 상부갑상선은 혈관보존하기도 더 어렵습니다. 그 이유는 각각의 type을 설명할 때 말씀드리겠습니다. 우선 가장 흔히 접하는 부갑상선이 Zuckerkandle tubercle 말단부위 근처에 있는 경우의 혈관분포에 대해 말씀 드리겠습니다.

하갑상선동맥에서 분포하는 경우와 상갑상선동맥에서 오는 경우가 비슷하며 간혹 상하갑상선동맥이 연결되어 있고 그 곳에서 부갑상선동맥이 나오는 경우가 있습니다.

그런데 상하갑상선동맥 중 어느 혈관에서 더 많이 상부갑상선에 혈류를 공급하는지, 또한 상하갑상선동맥이 연결되고 그곳에서 상부갑상선동맥이 나오는 경우는 비율이 어느정도 인지에 대해서 연구자에 따라 다른 결과를 보고하고 있습니다.

제가 가장 많이 참고하고 또 제 경험과 비교해 보았을 때 신뢰감이 가는 논문이 Nobori (Sugery 1994;115;417−23), Flament (Anat Clin 1982;3;279−87), Halsted & Evans (Ann Surg 1907;46;489−506) 가 쓴 논문입니다.

세 연구가 모두 cadaver를 가지고 혈관에 착색 물질을 주입한 후 해부한 연구인데 Flament는 100개, Nobori는 52개의 비교적 많은 cadaver로 연구했습니다. Halsted 와 Evans 는 10개의 적은 수로 연구했습니다. 결과를 보면 Flament는 상부갑상선의 77.1%가 하갑상선동맥에서 혈류공급을 받고 15.3%에서 상갑상선동맥에서 혈류공급을 받았으며 7%에서는 상하갑상선동맥이 연결되고 그곳에서 상부갑상선동맥이 나왔다고 하였습니다. 이렇게 상부갑상선의 주된 혈류공급은 하갑상선동맥에서 받는다는 의견이 주류인 것 같고 대부분의 문헌에서 이렇게 기술된 것을 볼 수 있습니다. 이에 반해 Nobori의 연구결과를 보면 거의 모든 상부갑상선은 상갑상선동맥에서 혈류 공급을 받는다고 했고 그 중 45%에서는 상갑상선동맥과 하갑상선동맥이 연결되고 그곳에서 상부갑상선동맥이 나온다고 보고했습니다.

그리고 Halsted와 Evans의 연구결과에서도 40%의 상부갑상선에서 상갑상선동맥과 하갑상선동맥이 연결되고 그곳에서 상부갑상선동맥이 나왔다고 하여 Nobori와 유사한 보고를 하였습니다.

따라서 Nobori의 결과에 의하면 상부갑상선의 주된 혈류 공급은 상갑상선동맥이라고 할 수 있습니다.

그런데 이 세 그룹의 연구방법에는 차이가 있습니다.

Flament는 aortic arch에 착색 물질을 주입하였고 Nobori는 상갑상선동맥에만 주입하였습니다. 아마도 상갑상선동맥과 하갑상선동맥의 연결부분을 중점적으로 연구할 목적에 기인한 것으로 보입니다. Halsted와 Evans는 주로 하갑상선동맥에 주입하였고 일부에서 상갑상선동맥에도 동시에 주입했다고 되어있습니다. 이 연구방법의 차이때문에 상하갑상선동맥의 상부갑상선 혈류 공급 비율에 차이가 났을 것으로 보입니다. Flament의 경우 aortic arch에 착색물질을 주입했는데 충분 압력을 가해서 주입했다고 했지만 상하갑상선 동맥에 균일한 수준의 압력이 가해졌는지 알 수 없습니다. 그리고 주입한 착색 물질의 차이 때문에도 해부해서 혈관을 확인할 때 차이가 있을 수 있을 것 같지만 확실하지 않습니다. 상부갑상선에 상갑상선동맥에서 혈류 공급을 받는 비율이 Flament는 15.3% Nobori는 100% 로 큰 차이가 있는데 Nobori의 경우 상갑상선동맥에만 착색 물질을 주입한 결과이기 때문에 상갑상선동맥이 상부갑상선에 혈류 공급하는 양상을 보는데는 Nobori의 결과가 더 신빙성이 높지 않을까 생각합니다.

하갑상선동맥에서 혈류공급은 Flament의 경우 77%였고 여기에 상하갑상선동맥이 연결되고 여기서 상부갑상선 동맥이 나오는 7%를 더하면 84.1%에서 하갑상선동맥에서 혈류공급을 받는 셈이 됩니다. Nobori의 연구에서는 하갑상선동맥에서만 혈류 공급을 받는 경우는 알 수 없습니다만 두 연구 결과를 종합해서 생각하면 상부갑상선은 대부분 상하갑상선동맥으로부터 공히 혈류 공급을 받는 것으로 보입니다. 그리고 아마도 대부분 상하갑상선동맥이 연결되고 그곳에서 부갑상선 동맥이 나오는 것이 아닐까 추측됩니다. 만일 Nobori가 하갑상선동맥에도 주입하여 연구했다면 상하갑상선동맥이 연결된 비율이 훨씬 높아졌지 않을까 하는 것이 저의 개인적인 추측입니다. 저의 관찰 결과는 상갑상선동맥과 하갑상선동맥에서 혈류 공급을 받는 비율이 비슷하였습니다(Fig 3, type 1, 2). 상갑상선동맥과 하갑상선동맥이 연결된 비율은 Nobori에 비해 낮은 편인데(Fig 3, type 3) 이러한 차이는 수술 시 육안으로 관찰하는 것의 한계 때문으로 생각됩니다. cadaver 연구는 착색 물질을 압력을 가해서 주입하여 혈관이 크게 확장되는 반면 육안으로 볼 때는 대상마다 혈관의 굵기에 차이가 있어 아주 가는 혈관의 연결은 관찰이 어려울 가능성이 높습니다. 저는 상부갑상선의 혈류 공급은 하갑상선동맥 못지 않게 상갑상선동맥도 중요하게 생각해서 수술 시 상갑상선동맥의 후방분지를 보존하기 위해 노력하고 있습니다.

상부갑상선을 보존할 때 상하갑상선동맥이 연결되어 있을 경우 굳이 상하갑상선동맥을 모두 보존할 필요는 없을 것으로 생각합니다. 모두 보존해도 어느 하나만 보존했을 때와 보존 성공률에 큰 차이는 없었습니다(Table 1).

Table1. Preserved blood vessels and the results of upper parathyroid preservation

Preserved	Upper parathyroid		
	NO	Normal	Color change(%)
Sup. inf thyroid a.	23	20	3(13.0)
Sup. thyroid a.	57	51	6(10.5)
Inf thyroid a.	45	37	8(17.8)
Interrupted both a.	12	8	4(33.3)
	137	114	21(15.3)
			P : 0.220

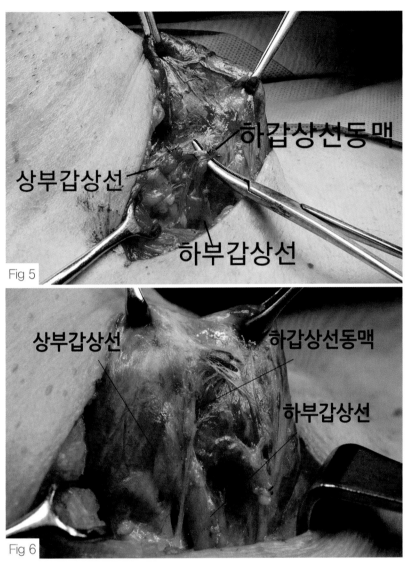

상부갑상선

하갑상선동맥

하부갑상선

Fig 5

상부갑상선

하갑상선동맥

하부갑상선

Fig 6

Fig 5, 6. Mid-position of Grisoli

그러나 어느 하나를 차단하더라도 다른 동맥을 확실히 보존한 후에 차단해야 합니다. 일단 하나를 차단하면 다른 동맥을 반드시 보존해야만 하는 상황이 생기기 때문에 상하갑상선동맥 중 보존하기 용이하다고 판단되는 혈관을 선택하여 보존한 후 성공하면 다른 동맥은 차단해도 무방합니다.

상부갑상선이 갑상선 upper pole 근처에 위치해 있을 때는 당연히 상갑상선동맥에서 혈류를 공급받게 됩니다(Fig 3, type 4). 이러한 경우에는 상갑상선동맥 기시부에서 상부갑상선 사이의 갑상선으로 들어가는 처리해야하는 분지의 숫자가 적기 때문에 쉽게 보존이 됩니다. 그러나 상부갑상선이 upper pole에 있는 경우가 많지 않아 모르고 upper pole을 처리할 때 혈관을 손상하여 보존에 실패할 수 있으므로 항상 가능성을 염두에 두고 잘 관찰해야 합니다. 반면에 상부갑상선이 Zuckerkandle tubercle보다 하방에 위치한 경우에는 하갑상선동맥에서 공급을 받게 되는데 이러한 경우 간혹 mid-position of Grisoli 일 가능성이 있으므로 주의하여야 합니다. 발생학적으로 Parathyroid Ⅲ 와 Parathyroid Ⅳ 가 이동중 교차하는 시점에서 멈춰서 상부갑상선과 하부갑상선이 하갑상선동맥 주위에 근접해서 나란히 대칭으로 위치하고 있거나(Fig 5) 심지어는 붙어있는 것 같이 보이는 경우도 있습니다(Fig 6). 그러나 부갑상선동맥은 따로따로 존재합니다. 그러므로 상하부갑상선으로 가는 각각의 혈관을 잘 보존하여야 하는데 mid-position of Grisoli 일 가능성을 인지하기만 하면 부갑상선이 하갑상선동맥의 trunk에 가까이 위치하고 있고 혈관도 하갑상선동맥에서 바로 나오는 일차 분지일 가능성이 많기 때문에 처리해야 할 분지가 많지 않아 보존이 쉬운편 입니다. 그러나 mid-position of Grisoli인 것을 인지하지 못하면 하나의 부갑상선을 혈관과 같이 잘 보존한 후 대체로 다른 부갑상선은 조금 떨어져 위치할 수 있으므로 보존된 부갑상선 근처의 하갑상선에서 나오는 분지를 무심코 절단하면 그것이 바로 근처에 있는 다른 부갑상선에 가는 혈관이어서 보존에 실패하게 됩니다. 그러므로 부갑상선이 하갑상선동맥의 trunk에 가까이 위치할 경우에는 mid‐position of Grisoli 일 가능성을 염두에 두고 근처에 다른 부갑상선이 있는지 주의 깊게 살핀 후 없으면 분지를 처리하는 습관을 가지는 것이 바람직합니다.

상부갑상선이 갑상선의 내측으로 Berry 인대 가까이 위치한 경우에는 상하갑상선동맥 모두에서 공급받는 경우가 대부분입니다(Fig 3, type 6). 그러나 이러한 경우에는 상하갑상선동맥 말단부의 혈관을 보존하기가 매우 어렵습니다. 갑상선의 내측에 깊이 위치하여 시야가 좋지 않고 갑상선을 많이 전방으로 견인하기 때문에 혈관도 당겨져서 더 가늘어지기 때문에 육안으로 확인하기 어렵고 또 혈관이 단단히 붙어있어서 분리하기가 어렵습니다. 그렇기 때문에 상부갑상선이 Zuckerkandle tubercle의 groove에 위치한 경우와 더불어 보존하기 어려운 high risk group에 들어갑니다. 상부갑상선이 groove내에 있으면 발견하지 못 할 수도 있고 발견했다 하더라도 역시 혈관을 분리해 내기가 어렵습니다(Fig 3, type 5).

상부갑상선은 상하갑상선동맥의 기시부에서 결찰해도 허혈이 오지 않는데 이는 Curtis가 언급한 바와 같이(Surg Gynecol Obstet 1930:51:805-9) 기도와 식도로 가는 collateral 혈관으로부터 혈류를 공급받을 수 있기 때문입니다. 그러나 갑상선 조직을 완전히 제거 하면서 collateral 혈관을 다치지 않고 보존하는 것은 쉽지 않은 작업입니다. 이 그림은 상하갑상선동맥 모두 기시부에서 차단한 후에도 부갑상선의 혈액순환이 잘 보존되는 것을 보여줍니다(Fig 7).

그러나 이렇게 보존되는 성공율을 2/3 밖에 되지 않습니다(Table 1). 따라서 갑상선 수술 시 상하갑상선동맥이 상부갑상선 전에 기시부에서 차단되었어도 부갑상선 보존을 포기하지 않아도 되지만 대신 무리하게 완전한 갑상선 절제하려 하지 말고 상부갑상선 주위의 갑상선 조직을 남겨서 collateral 혈관의 손상을 최대한 피하는 것이 바람직합니다.

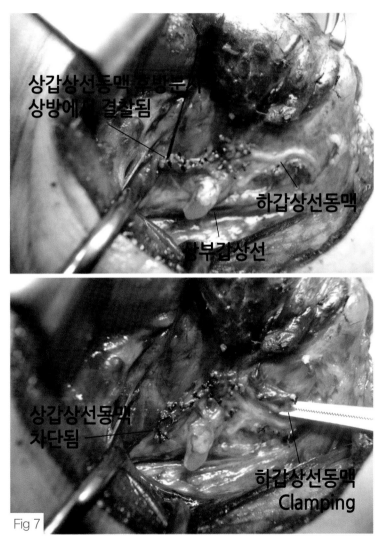

Fig 7. 상부갑상선의 상하갑상선 동맥이 모두 차단되었으나 상부갑상선의 혈류는 정상으로 유지됨

2. 하부갑상선

하부갑상선은 상부갑상선에 비해 위치의 변화가 많은 편입니다. 상부갑상선을 찾지 못한 경우가 13%인데 비해 하부갑상선은 29%로 높은 편입니다(Table 2). 가장 흔한 위치는 갑상선 후방의 후면에 위치하는 것인데(Fig 4, type Ia), 이밖에 흉선에 있거나(Fig 4, type 2), 갑상선의 전방에 치우쳐있거나(Fig 4, type Ib), 갑상선에 묻혀 있으면 찾기 어려울 수 있습니다.

Table2. Differences in result of parathyroid preservation between upper and lower parathyroid

Parathyroid	Normal	Congestion	Color change	Not identified	Sacrifice
Upper parathyroid	510(60%)	22(2.7%)	190(24%)	113(13%)	11
Lower parathyroid	416(49%)	14(1.7%)	157(18.5%)	251(29%)	7

Intact parathyroid preservation in
Identified upper parathyroid : 510/722 (70%)
　　　　　　lower parathyroid : 416/587 (70%)

혈류는 대부분 하갑상선동맥에서 받습니다. 따라서 혈관을 보존하는 작업은 상부갑상선에 비해 단순할 수 있습니다. 하갑상선동맥에서 부갑상선까지의 거리가 멀지 않고 그 사이 갑상선으로 들어가는 절단해야 할 분지가 상부갑상선보다 적기 때문에 그만큼 혈관이 손상 받을 기회가 적고 시간도 덜 들게 됩니다. 그러나 부갑상선이 전방에 치우쳐 있으면 하갑상선동맥에서부터 보존해야 할 혈관의 길이가 길어지고 처리해야 할 분지가 많아지면서 보존에 실패할 확률이 높아집니다.

하부갑상선이 흉선에 위치 하는 경우를 많이 접하게 됩니다.

흉선의 상부, thyrothymic ligament 가까이 위치한 경우가 많지만, thyrothymic ligament에서 떨어져서 thymus 하부에 위치한 경우도 드물지 않아서 그러한 경우 찾기가 어려울 수 있습니다. 그러나 이러한 경우는 찾지 못했어도 흉선을 제거하지 않는 한 보존에는 문제가 없고 하갑상선동맥을 절단해도 흉선은 internal mammary artery에서 혈류공급을 받으므로 하부갑상선의 혈류공급에는 문제가 없습니다. 그러나 thyrothymic ligament에 위치한 경우에는 허혈이 오게 됩니다. 아마도 thyrothymic ligament에 위치한 경우는 thymus와 가까이 있기는 해도 thymus 안에 있는 경우와는 혈관의 연결이 다른 것이 아닌가 생각됩니다. 그런데 이 차이점을 육안으로 확인하는 것이 어렵습니다. thyrothymic ligament에 위치한 경우는 관찰이 가능하지만 thymus 안에 위치한 경우는 혈관의 분포를 확인하는 것이 불가능하기 때문입니다.

하부갑상선중 상갑상선동맥에서 혈류공급을 받는 경우가 있습니다(Fig 4, type 3). 이런 경우가 많지는 않지만 그렇다고 드물다고 할 수는 없습니다. 본인의 경험으로는 약 열에 하나 정도입니다. 이러한 경우는 하갑상선동맥이 없는 경우가 많습니다. Flament에 따르면 9%에서 하갑상선동맥 agenesis가 있었다고 합니다. 이렇게 하갑상선동맥이 없을 때는 대체로 상갑상선동맥에서 오고 가끔 thyroid ima artery에서 받는 경우도 있습니다. 그리고 이렇게 상갑상선동맥에서 혈관이 오는 경우에 하부갑상선의 위치가 통상적인 lower pole보다 전방에 위치하는 경우가 많고 갑상선의 측면을 따라 상갑상선동맥의 분지가 굵게 발달된 것을 볼 수 있습니다.

그리고 또 한가지 언급할 것은 이렇게 상갑상선동맥이 하부갑상선에 연결되어 있는 것이 보일 때 간혹 하갑상선동맥으로부터도 혈관이 와서 연결되어 있는 경우가 있다는 점입니다 (Fig 8, 9). 상부갑상선의 경우 상갑상선동맥의 가장 하부에 있는 분지와 하갑상선동맥의 분지가 연결되고 여기서 부갑상선 동맥이 나오는 경우가 있는 것과 같이 하부갑상선에서도 상갑상

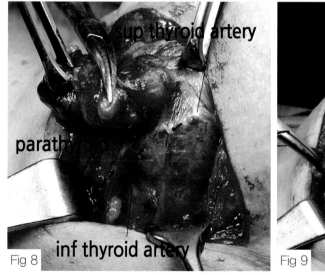
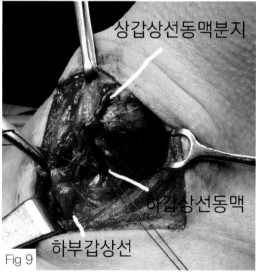

Fig 8, 9. 하부갑상선이 상갑상선동맥의 혈류공급을 받으나 하갑상선 동맥도 연결된 경우

선동맥의 전방분지가 하갑상선동맥과 만나는 경우가 있는 것입니다.

　　그러나 이러한 경우에 하갑상선동맥은 잘 발달되어 있지 않고 아주 가늘어서 잘 살펴보지 않으면 간과하기 쉽고 발견되었다 하더라고 보존하기가 매우 어렵습니다. 그렇지만 상갑상선동맥보다는 하갑상선동맥의 길이가 짧기 때문에 처리해야 할 갑상선으로 들어가는 분지의 숫자는 적어서 보존하는 작업은 상갑상선동맥보다는 덜 복잡할 수는 있기 때문에 너무 가늘어서 보존하기가 불가능하지만 않으면 하갑상선동맥을 보존해보고 만일 실패하면 상갑상선동맥을 보존하는 것이 바람직 할 수 있습니다.

　　그리고 아주 드문 경우이지만 상갑상선동맥의 전방분지가 아닌 후방분지가 갑상선후면을 따라서 주행하여 하부갑상선에 분포하는 경우도 있습니다(Fig 10). 이러한 경우에도 하갑상선동맥은 보이지 않으며 대체로 상부갑상선도 같은 혈관으로부터 혈류공급을 받게 됩니다.

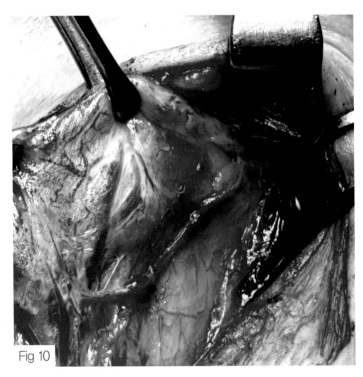

Fig 10. 하부갑상선이 상갑상선동맥의 후방분지에서 혈류공급을 받는 경우

하부갑상선 혈관이 갑상선의 표면에 보이지 않는 경우가 있습니다(Fig 4, type Ic).

혈관이 갑상선 내부에서 나오기 때문인데 이러한 경우 하부갑상선이 대체로 전방에 위치한 경우가 많습니다. 그런데 혈관이 갑상선에 묻혀 있는 부분이 길지 않고 갑상선 깊이 묻혀 있지 않으면 갑상선을 절개하여 혈관을 노출시켜 보존하는 것이 가능합니다. 물론 보존성공율은 높지 않고 혈관이 얼마나 깊고 길게 묻혀 있는지에 따라 다릅니다.

그런데 혈관이 너무 깊게 묻혀 있으면(Fig 4, type 6) 실제로 보존이 불가능합니다.

수술 시 이러한 경우를 만났을 때 갑상선을 절개하여서라도 부갑상선을 보존하는 작업을 할지 망설여집니다. 작업이 매우 어렵고 보존성공율이 낮기 때문인데 다른 부갑상선이 잘 보존되었다면 굳이 어려운 작업을 할 필요는 없을 것입니다만 그렇지 않다면 어떻게 해서든 보존을 해야합니다. 그런데 이렇게 혈관이 보이지 않더라도 하갑상선동맥이 갑상선에 묻혀 주행한다는 개념이 없으면 보존할 시도조차 하지 못할 것입니다. 실제 보존하는 술기는 나중에 다시 자세히 사진과 함께 설명드리도록 하겠습니다. 드물지만 간혹 하부갑상선이 갑상선의 측상방에 치우쳐 위치하여 상부갑상선이 전방에 치우쳐 있는 경우와 혼동이 되는 경우가 있습니다(Fig 4, type 4). 혈관은 하갑상선동맥의 상방분지에서 연결되지만 보존해야할 구간이 길기 때문에 보존이 어려운 경우가 많습니다.

04.

부갑상선 보존의 실제

부갑상선의 위치와 분포혈관의 해부에 관하여 개념을 잡는 것이 시간이 걸려서 그렇지 일단 잡히기만 하면 대부분의 부갑상선을 성공적으로 보존할 수 있게 됩니다.

그러나 부갑상선보존 성공률을 100%에 가깝게 하는 것은 매우 어려운 일입니다.

부갑상선과 분포혈관을 확인하였다 하더라도 혈관이 매우 가늘기 때문에 혈관손상 없이 갑상선으로 들어가는 분지를 하나하나 잘 처리하는 것이 쉽지 않은 작업이기 때문입니다. 더구나 분포혈관이 길어서 처리해야 할 분지가 많으면 많을수록 실패할 확률이 높아집니다.

부갑상선 혈관 보존 성공에 영향을 줄 수 있는 인자가 여럿 있겠지만 무엇보다도 가장 중요한 것은 혈관의 굵기와 탄력성입니다. 예를 들어 체격이 건장한 젊은 남자이면 혈관보존이 쉬울 가능성이 높고 체격이 작고 나이든 여자이면 실패할 가능성이 높아집니다. 따라서 이러한 환자의 경우에는 더 세심하고 주의 깊게 혈관보존작업을 해야 합니다.

만성갑상선염의 유무도 영향을 미칠 수 있습니다.

특히 위축성갑상선염(atrophic thyroiditis)일 경우 혈관이 가늘 뿐 아니라 갑상선 피막에 단단히 유착되어 분리하기가 매우 어려울 수 있습니다. 갑상선이 아주 큰 goiter이거나 Graves' disease인 경우에도 혈관주행이 왜곡되어 부주의하게 혈관 손상을 줄 수 있으므로 세심한 관찰이 필요합니다.

이러한 것들은 부갑상선혈관자체의 문제이기 때문에 어쩔 수 없이 받아들여야 할 수밖에 없지만 우리가 부갑상선보존의 성공률을 높일 수 있는 조건을 만들 수도 있습니다. 이제 실제 상황을 보면서 부갑상선과 혈관을 보존하는 요령을 하나하나 말씀 드리도록 하겠습니다.

1. 환자의 수술대 위에서의 자세

아마도 대부분의 외과의가 환자의 경부를 extension하기 위해 목 아래부분에 베개를 받칠 것입니다. 저는 거기에 더하여 환자의 상체를 약 30도 가까이 올린 자세를 만듭니다(Fig 11). 그렇게 함으로써 목의 혈압을 낮게 하여 수술 시 출혈을 조금이라도 방지 할 수 있기 때문입니다. 상체를 올린 것과 수평인 것 사이에 혈압의 차이가 어느 정도 나는지는 측정해보지 않아 알 수 없지만 실제 수술 시 상체를 높인 경우 현저히 출혈이 적은 것을 알 수 있습니다. 상체를 높일수록 더 큰 효과를 기대할 수 있지만 수술에 불편하지 않을 정도가 적당합니다.

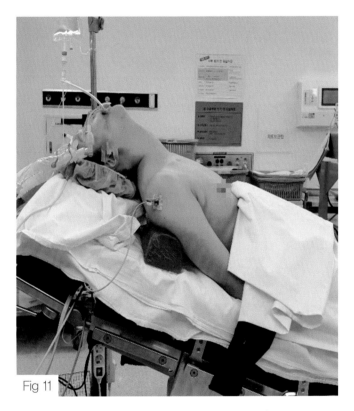

Fig 11. 갑상선 수술 시 환자의 체위

상체를 높이면 또 한 가지 좋은 점은 중앙경부림프절 수술 시 깊은 곳까지 시야가 확보되기 때문에 피부를 많이 견인하지 않아도 되는 장점이 있습니다. 환자의 자세를 잡는 차이가 부갑상선 보존에 얼마나 영향을 미칠 수 있을까 의아해 하실지도 모르겠습니다만 사소한 차이가 결과에 영향을 끼칠 수 있습니다. 더구나 초보자인 경우에는 수술시야가 출혈에 의해 나빠지면 경험자라면 극복할 수 있어도 초보자는 아주 어려울 수 있습니다. 모든 수술 단계가 연관되어 있기 때문에 부갑상선 보존에 조금이라도 유리한 조건을 형성해야 좋은 결과를 얻을 수 있습니다.

2. 피부절개 위치

저는 갑상선 수술 시 피부절개 위치를 높게 잡는 편입니다(Fig 12). 대체로 목에는 위아래 2개의 주름이 있는데 저는 주로 윗쪽 주름에 절개를 합니다. 아래보다 윗쪽에 절개할수록 흉이 덜하기 때문입니다. 그런데 전통적인 피부절개 위치인 쇄골상방 손가락 2개정도 위치에 절개를 하면 갑상선의 lower pole에 가까운 위치가 됩니다. 그러면 하부갑상선을 보존하는 데는 문제가 없지만 상부갑상선의 혈관을 보존하는 데는 시야가 좋지 않을 수 있습니다. 상부갑

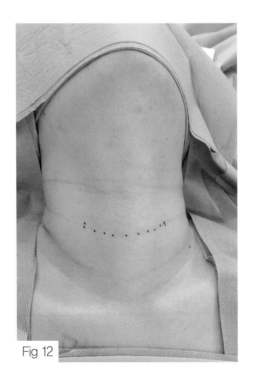

Fig 12. 갑상선 수술 시 피부절개의 위치

상선은 하부갑상선보다 처리해야 할 혈관이 길이가 길고 분지가 많습니다. 특히 저는 상갑상선동맥에서 분포하는 혈관의 보존을 중요하게 생각하는데 상갑상선동맥의 후방분지를 보존하려면 상갑상선동맥의 본간부위를 확인하고 갑상선에서 갈라지는 부위를 갑상선 upper pole 끝에서부터 차례로 처리해야 하기 때문에 충분하고 넉넉한 시야를 확보해야 하는데 전통적인 low collar skin incision으로는 좋은 시야를 확보하기 어렵고 윗쪽 피부편을 많이 당겨야 하기 때문에 좋지 않습니다. 물론 경부 윗쪽에 피부절개를 하면 상대적으로 하부갑상선의 시야는 상부갑상선 보다 좋지 않을 수 있지만 하부갑상선은 보존해야 할 혈관의 길이나 분지가 상부갑상선에 비해 짧고 적기 때문에 보존에 큰 어려움이 없습니다. 갑상선의 upper pole은 상갑상선동맥 분지를 절단해야만 끌어내려서 노출시킬 수 있는 데 반해 lower pole은 하갑상선동맥을 미리 절단하지 않아도 끌어 올려서 노출시킬 수 있습니다. 피부 절개위치를 정하기 위해 여러 조건을 고려하여 결정해야겠지만 적어도 미용과 부갑상선보존의 조건을 볼 때 경부 상부에 절개하는 것이 좋습니다.

3. 갑상선의 노출

피부절개 후 platysma muscle의 하부를 따라서 박리하여 상하피판을 만든 후 strap muscle 사이에 근막을 세로로 절개하고 strap muscle과 갑상선 피막 사이의 성근 결합조직을 박리하면서 갑상선을 겸자로 잡고 전방으로 견인하여 노출시킵니다. 이때 strap muscle과 갑상선 피막 사이에 10개 미만의 가는 정맥이 지나가는 것을 처리해야 하는데 결찰까지 할 필요는 없고 대부분 전기소작으로 처리가 가능합니다만 출혈하여 갑상선피막에 staining이 되지 않도록 주의하셔야 합니다. 경험이 쌓이면 어느 정도 갑상선 피막에 staining되어도 갑상선 피막에 주행하는 혈관을 확인 가능하지만 초보자일때는 매우 어려워 질 수 있습니다. 가는 혈관이라도 소홀히 하지 말고 조심스럽게 전기소작 하여야 합니다. 어느 정도 갑상선이 전방으로 노출되면 middle thyroid vein이 나타나게 됩니다. middle thyroid vein을 통상적으로 보존한다는 분들이 있습니다. 하부갑상선이 draining되는 정맥으로 보존한다는 것이지요. 그러나저는 무조건 middle thyroid vein을 보존하지는 않습니다. 오히려 절단해 버리는 경우가 더많습니다. 왜냐하면 middle thyroid vein을 보존하면 갑상선을 완전히 노출시키는 데 시간만지체되고 하부갑상선의 venous drainage에 반드시 필요하지 않을 수도 있기 때문입니다.

물론 갑상선이 완전히 노출되지 않았는데도 하부갑상선이 발견되고 middle thyroid vein

이 하부갑상선에 근접해 연결되어있다면 당연히 middle thyroid vein을 보존합니다. 그러나 중요한 점은 갑상선의 정맥은 middle thyroid vein과 inf. thyroid vein이 따로 drain되는 것이 아니고 사이에 network가 풍부하게 연결되어 있다는 것입니다. 따라서 하부갑상선의 venous drain은 어느 정맥으로도 될 수 있고 굳이 무조건 middle thyroid vein을 보존하지 않고 절단해도 다른 vein으로 venous drainage가 잘 될 수 있습니다.

05.

하부갑상선의 보존

갑상선이 최대한 전방으로 견인되었으면 부갑상선을 찾아서 확인합니다. 언젠가 학회에서 강의를 하는데 상하부갑상선 중 어느 것을 먼저 보존하느냐는 질문을 받은 적이 있었습니다. 저는 순서를 정해서 부갑상선을 보존하지는 않기 때문에 왜 그런 질문을 하시는지 잘 이해가 가지 않았습니다만 짐작컨데 상부갑상선을 보존하고 하부갑상선은 중앙경부림프절 곽청을 하면서 보존하지 않고 희생하는 방식으로 수술하기 때문에 그런 질문을 하신 것이 아닌가 합니다. 일본 학회에서 하부갑상선의 해부에 관한 발표를 한 적이 있는데 그때에도 일본 외과의로부터 비슷한 질문을 받은 적이 있었습니다. 그러나 저는 그러한 의견에는 동의하지 않습니다. 상부갑상선을 항상 성공적으로 보존할 수 있다면 모르겠으나 그렇지 않은 상황에 대비해서 하부갑상선은 반드시 보존해야 하며 특히 초보자의 입장에서는 모든 부갑상선을 보존한다는 원칙하에 수술하시는 것을 권하고 싶습니다. 그리고 하부갑상선이 상부갑상선에 비해 평균적으로 보존 작업이 간단한 편이어서 쉽게 시간도 덜 들이고 보존할 수 있으며 보존의 실패와 성공이 보다 명확합니다. 저의 이런 의견에 고개를 갸웃하시는 분들이 많은 것 같습니다. 상부갑상선이 하부갑상선보다 보존이 더 쉽다고 생각하시는 분들이 많은 것 같습니다. 이러한 차이는 부갑상선을 보존하는 방식이 다르기 때문이라고 생각됩니다. 저는 부갑상선과 혈관을 갑상선 조직과 깨끗하게 분리하여 보존합니다. 따라서 부갑상선 보존의 난이도 차이는 얼마나 부갑상선과 혈관이 갑상선 조직과 잘 분리되는지 또 혈관에서 갑상선으로 들어가는 분지의 숫자가 많고 적음에 따라 결정됩니다. 그런데 일반적으로 상부갑상선에 들어가는 상갑상선동맥이 하부갑상선보다 단단히 부착되어 있는 경우가 많고 갑상선동맥에서 부갑상선동맥의 분지되는 지점과 그 말단 부위에서 혈관이 갑상선으로 들어가는 사이를 박리하여 결찰하여야 하는데 그 간격이 하부갑상선보다 짧고 분리가 잘 안되는 경우가 많습니다. 그래서 하부갑상선의 보존이 상부갑상선보다 용이한데 만약 혈관만을 분리하지 않고 아절전제나 근전절제를 하여 부갑상선이 붙어있는 갑상선조직을 절단하여 보존한다면 상부갑상선은 Zuckerkandle tubercle의 말단에 부착되어 있어 절단조작이 아주 간단하여 하부갑상선보다 보존이 간편하다고 생각할 수 있을 것입니다.

하지만 저의 부갑상선보존방법으로는 하부갑상선이 상부갑상선보다 더 쉽고 빠르게 보존할 수 있기 때문에 우선 하부갑상선을 보존하고 일단 성공하면 최소한 부갑상선기능저하는 피할 수 있기 때문에 부담없이 수술을 진행해 나갈 수 있습니다. 만일 실패한 경우에는 상부갑상선 보존에 더 주의를 기울입니다.

1. 하부갑상선과 분포혈관의 확인

그러면 우선 가장 흔한 Type Ia 하부갑상선부터 보존과정을 말씀드리겠습니다. 우선 부갑상선을 찾아야 하는데 부갑상선이 어떠한 모양을 하고 있는지 알아야 부갑상선을 찾을 수 있겠습니다. 부갑상선의 형태는 방추형이나 구형인 경우가 대부분이나 간혹 가늘고 긴형태를 하거나 드물게 2가닥으로 나누어진 집게 모양을 한 경우도 있습니다. 크기는 대부분 4-6mm 정도이나 작게는 2-3mm 크게는 1cm 넘는 것도 드물게 있습니다. 중요한 것은 부갑상선이라는 것을 인지하고 다른 조직과 구별할 줄 알아야 한다는 것입니다. 초보일 때는 지방조직이나 림프절과 혼동을 할 수 있습니다. 그러나 부갑상선은 지방보다는 윤곽이 뚜렷하고 표면이 윤기가 있으며 색은 지방보다 핑크 빛을 띄고 있습니다. 그러나 연령이 높은 환자인 경우 점차 부갑상선 내에 지방세포가 많아지게 되고 옅은 황색을 띄면서 지방조직과 비슷하여 구분하기가 쉽지 않을 수 있습니다. 간혹 parathyroid cyst가 있는 경우가 있는데 cyst가 보이면 부갑상선이라는 유력한 증거가 됩니다. 흉선 내에 위치하고 있을 때는 주의 깊게 살피지 않으면 발견하기 어려울 수 있습니다. 림프절과도 혼동할 수 있는데 림프절이 색깔이 좀 더 붉거나 희게 보이고 더 단단하기 때문에 도구로 눌러보면 차이를 알 수 있습니다(Fig 13). 처음에는 구분이 어려울 수 있지만 몇 번 부갑상선을 보아서 부갑상선만의 형태와 색깔과 조직의 경도를 인지하면 곧 쉽게

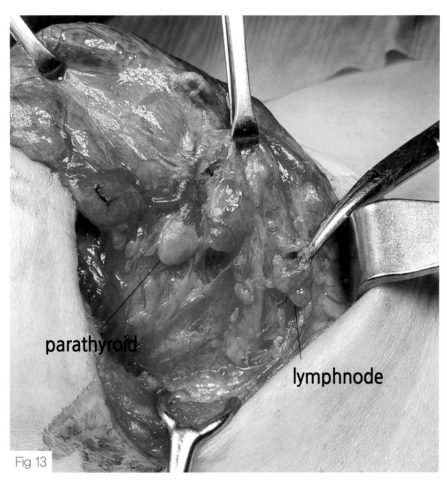

Fig 13

parathyroid

lymphnode

Fig 13. 부갑상선과 림프절, 지방조직의 육안적 소견

구별할 수 있게 되리라 생각합니다. 하부갑상선은 상부갑상선에 비해 위치가 다양해서 한눈에 잘 찾아지지 않을 수 있습니다.

그러나 가장 흔한 Type Ia 인 경우는 비교적 눈에 잘 보이는 편이어서 갑상선을 충분히 노출시키면 어렵지 않게 찾을 수 있습니다. 그러나 갑상선을 노출시켜도 바로 눈에 보이는 경우는 드물고 갑상선 피막을 약간 벗겨내는 작업이 필요한 경우가 대부분입니다(Fig 14). 하부갑상선이 있을 만한 위치를 짐작하여 잘 관찰하면 하부갑상선의 윤곽과 색깔이 어렴풋이 보일 수 있습니다. 그런 경우 쉽게 찾을 수 있지만 전혀 하부갑상선이 보이지 않을 때가 더 많은데 그때는 천천히 갑상선 피막을 벗겨 가면서 찾아내야만 합니다(Fig 15, 16). 주로 모스키토와 forcep으로 작업을 하는데 forcep으로 피막을 잡아 견인하면서 모스키토로 벌려가면서 박리해내는 식으로 해야 갑상선과 표면에 있을지 모르는 혈관을 다치지 않게 박리할 수 있습니다. 무조건 모스키토만으로 쑤시듯이 박리하면 좋지 않습니다. 그리고 박리하는 방향도 처음에는 우선 위아래로 시작하는 것이 바람직합니다. 혈관의 주행이 위아래이기 때문에 처음에 혈관주행이 보이지 않는 상황에서 좌우로 벌리다가는 혈관이 다칠 가능성이 많기 때문인데 일단 혈관이 눈에 보이면 그때부터는 적절한 방향으로 박리하면 되겠습니다.

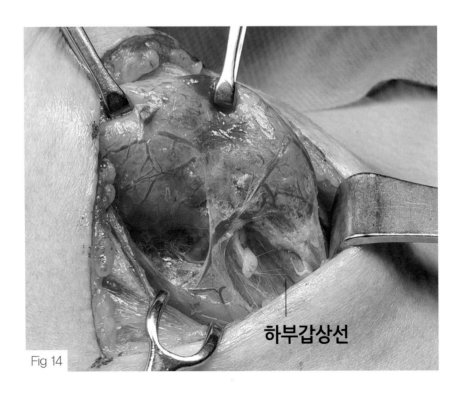

하부갑상선

Fig 14

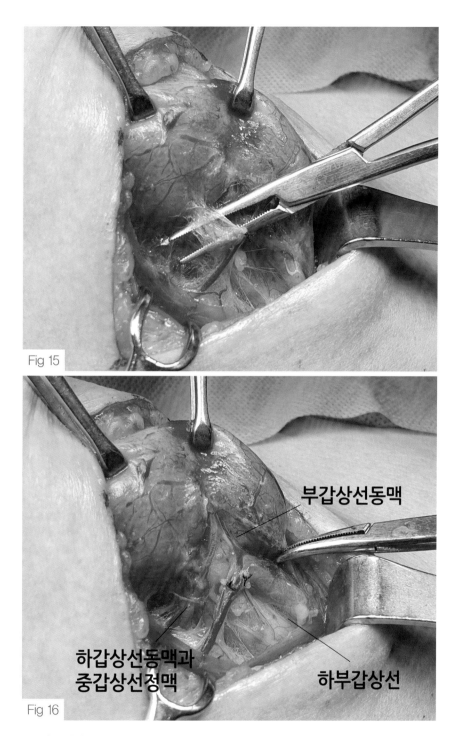

Fig 15

Fig 16

부갑상선동맥

하갑상선동맥과
중갑상선정맥

하부갑상선

Fig 14, 15, 16 하부갑상선 Type Ia. 처음에는 하갑상선동맥이 보이지 않으며 덮여있는 갑상선피막을
벗겨낸 후 하갑상선동맥과 부갑상선동맥이 뚜렷이 노출됨

Type Ia 하부갑상선은 갑상선 lower pole의 후면에 위치하고 있으며 흉선의 끝부분과 가까이 있는 경우가 많습니다(Fig 17).

그러므로 한눈에 하부갑상선이 잘 보이지 않을 때는 흉선의 tip이 가이드가 될 수 있으므로 그 부분을 우선적으로 박리하는 것이 좋습니다. 간혹 하부갑상선이 갑상선 lower pole 내측에 있어서 잘 보이지 않는 경우도 있는데 통상적인 위치에 보이지 않는 경우 갑상선 lower pole을 더 많이 전방을 견인하면서 더 안쪽을 보면 발견할 수 있고 이러한 경우는 혈관도 하갑상선 동맥분지가 후두반회신경 내측으로 주행하고 여기에서 하갑상선동맥이 나오는 경우가 많으며 후두반회신경 바깥으로 주행하는 경우보다 혈관의 보존이 조금 어려울 수 있습니다(Fig 18). 하부갑상선을 찾았으면 다음단계는 분포혈관을 확인하는 것입니다. 부갑상선 보존의 성패는 혈관을 얼마나 잘 보존하는가에 달렸는데 특히 말단부 즉 부갑상선 동맥과 정맥의 보존이 중요합니다. 하갑상선 동맥간에서 손상을 받아 실패하는 경우는 드물고 대부분 부갑상선 동맥과 정맥에서 손상 받아 실패하는 경우가 대부분 입니다. 그런데 이 혈관이 매우 가늘기 때문에 유심히 관찰하지 않으면 안됩니다(Fig 19). 예전에 학회에서 제가 부갑상선보존에 대해 발표하면서 분포혈관에 대해 말씀을 드리는데 어떤 분이 그 혈관이 눈에 보이냐고 질문을 하신 적이 있었습니다. 아마도 그분은 부갑상선동맥을 보지 않고 수술을 하셨을 것으로 생각되는데 그 이유는 우선 혈관을 보려고 시도하지 않았기 때문입니다. 혈관은 존재함으로 보려는 의지가 있다면 볼 수 있습니다. 그리고 혈관이 그냥 갑상선 표면에 보이는 경우는 거의 없습

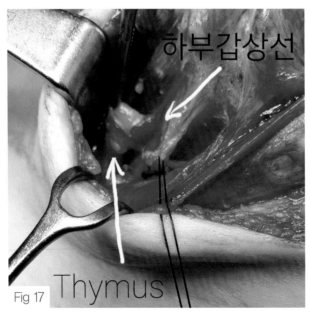

Fig 17. 하부갑상선이 Thymus 끝에 위치함.

니다. 혈관도 부갑상선과 마찬가지로 얇은 피막에 덮여 있기 때문에 그대로는 보이지 않습니다. 이 피막이라는 것은 어떤 막의 형태라기 보다는 결합조직과 같은 형태인데 이 결합조직을 벗겨내는 작

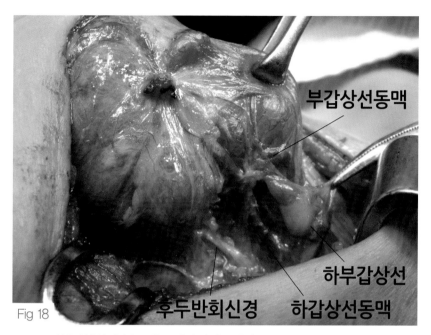

Fig 18. 하부갑상선에 분포하는 하갑상선동맥이 후두반회신경 내측으로 주행함.

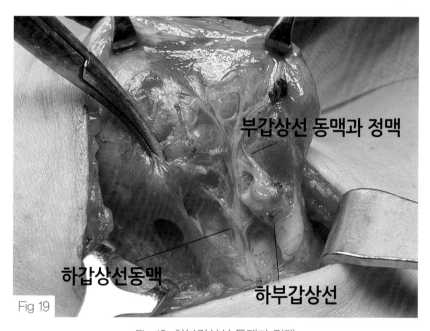

Fig 19. 하부갑상선 동맥과 정맥

업이 아주 중요하고 조금 테크닉이 필요합니다. 처음에는 이 결합조직이 갑상선 표면에 있는지 없는지 조차 잘 모르실 겁니다. 아주 얇게 덮여 있기 때문인데 일단 부갑상선에 가는 혈관이 보이지 않을 때는 무조건 이 결합조직 즉 false capsule이 덮여 있어서 보이지 않는다고 생각하시면 됩니다. 하부

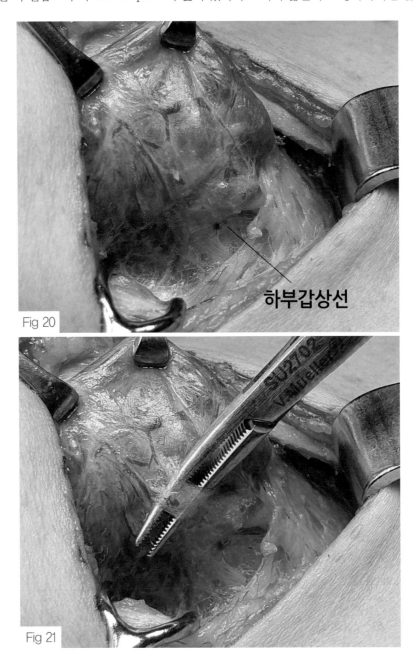

하부갑상선

Fig 20

Fig 21

갑상선 주위의 결합조직을 forcep과 모스키토로 잡아당기면서 박리하는데 하갑상선동맥의 trunk는 용이하게 찾을 수 있으므로 하갑상선동맥과 하부갑상선을 잇는 선을 따라 false capsule을 박리하면 점차 혈관이 뚜렷이 노출됩니다(Fig 20, 21, 22, 23).

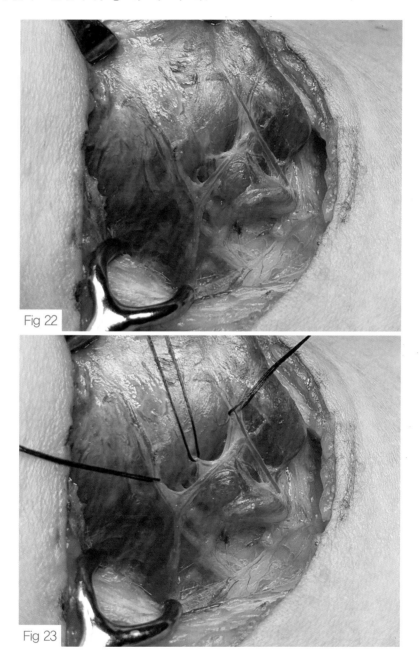

Fig 20, 21, 22, 23. 하부갑상선 분포혈관을 뚜렷하게 노출시키는 과정과 갑상선에 들어가는 분지를 결찰하는 모습

이러한 false capsule을 벗겨내는 작업은 부갑상선 동맥과 정맥, 주위의 하갑상선동맥 분지가 명확하게 들어날 때까지 계속하는데 조금이라도 혈관의 윤곽이 불분명하다고 생각되면 아직도 위에 결합조직이 남아 있기 때문입니다. 이때 혈관 위를 조심스럽게 forcep으로 조금 잡아서 견인해보면 다 벗겨진 줄 알았던 결합조직이 남아있는 것이 보이고 이것을 박리하면 혈관이 더 또렷하게 보이는 것을 경험하시게 됩니다.

하갑상선동맥과 그 분지가 하부갑상선을 지나 갑상선으로 들어가는 부위까지 노출시키고 그 사이 어디에서 부갑상선동맥이 나오는지를 정확히 확인합니다. 부갑상선 동맥은 길이가 1-2mm 정도로 아주 짧을 수도 있고 간혹 1cm가 넘는 긴 경우도 있습니다. 일반적으로 하부갑상선의 부갑상선 동맥이 상부갑상선의 것보다 긴 경우가 많습니다. 이 부갑상선 동맥이 하갑상선동맥에서 나오는 부위를 정확히 알아서 그 원위부를 결찰해야 되는데 부갑상선 동맥이 길 경우 부갑상선 동맥이 나오는 근위부를 결찰하면 하부갑상선의 허혈이 오게 됩니다. 그러므로 혈관의 말단부까지 끝까지 잘 관찰하지 않고 하부갑상선의 원위부를 대충 결찰하다가는 이런 실패를 할 수 있습니다.

하부갑상선 정맥의 보존도 중요합니다. 당연히 정맥도 보존해야 하는데 실제 육안으로 말단부위의 부갑상선 동맥과 정맥을 구분하는 것은 쉽지 않은 것 같습니다. 혈관의 기시부는 굵고 색이 다르기 때문에 동맥과 정맥의 구분이 어렵지 않으나 말단부는 동맥도 벽이 얇아 혈액이 비치기 때문인지 색으로도 구분이 어렵습니다. 그리고 더 구분하기 어려운 이유는 동맥과 정맥이 거의 붙어서 육안으로 구별되지 않기 때문이라고 생각됩니다. 그러므로 말단부위의 부갑상선 동맥과 정맥을 따로 구분해 보려고 할 필요는 없고 그냥 보이는 혈관을 잘 보존하면 둘 다 보존하게 됩니다. 그러나 말단 부갑상선 동맥과 정맥을 지나면 동맥과 정맥이 거의 대부분 따로 주행하는 것이 보이게 되어 각각 갑상선으로 들어가는 분지를 결찰하면서 보존해야 합니다(Fig 24).

그리고 앞에서 잠깐 언급한 바와 같이 하부갑상선의 정맥은 middle thyroid vein으로도 연결되고 inferior thyroid vein으로도 연결될 수 있습니다. 두 정맥사이에 연결이 있어서 마치 network가 있는 양상이기 때문에 대부분의 경우 하부갑상선의 정맥은 어느 정맥을 보존하여도 무방합니다. 그리고 정맥을 보존하지 못하면 부갑상선에 충혈이 오게 되는데 간혹 정맥을 따로 보존하지 않았는데도 부갑상선의 혈류가 잘 유지되는 경우가 있습니다. 상식적으로 이해가 되지 않는 현상인데 정말 부갑상선에 전혀 아무 이상 없이 정상과 똑 같은 모양으로 유지가 되고 있습니다. 아마도 정맥이 동맥과 같이 주행하고 있는데 아주 가늘기 때문에 육안으로 보

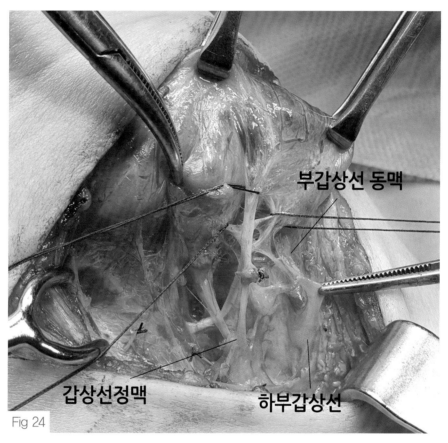

부갑상선 동맥

갑상선정맥

하부갑상선

Fig 24

Fig 24. 하부갑상선의 정맥보존

이지 않는 것이 아닌가 생각됩니다. 그리고 이러한 경우 특별히 부갑상선에 정맥의 연결이 보이지 않을 수 있는데 너무 정맥을 찾아서 보존하려고 애쓸 필요 없이 보이는 혈관만 보존하면 문제 없이 잘 보존됩니다.

2. 중앙경부림프절 청소술과 하부갑상선보존

"Central lymph node dissection 을 하면 하부갑상선보존이 안되지 않습니까?" 학회에서 많이 받았던 질문입니다. Level 6 림프절과 하부갑상선이 가깝기 때문에 림프절 곽청을 하면 하부갑상선을 보존하기 어렵다는 것이고 실제로 갑상선암 수술 시 상부갑상선만 남기고 하부갑상선은 처음부터 보존하려고 시도도 하지 않는 식으로 수술하시는 분이 많았던 것 같습니다. 아마도 요즘에는 그런 분들이 줄어들지 않았을까 생각합니다만 중앙경부 청소술을 하면서 하부갑상선을 보존하기 어렵다는 생각은 앞에서 잠시 언급한 하부갑상선보다 상부갑상선 보존이 쉽다는 생각과 같은 맥락이라고 생각됩니다. 둘 다 부갑상선을 보존할 때 저자와 같이 혈관만을 분리하여 수술하지 않으면 당연히 하게 되는 생각입니다. 부갑상선과 혈관만을 분리하여 보존하면 하부갑상선이 상부갑상선보다 보존하기가 쉬운 것과 마찬가지로 하부갑상선과 혈관을 림프절이 포함된 연부조직과 분리하는 것은 전혀 어렵지 않습니다. 갑상선에서는 종종 혈관이 피막에 단단히 유착되어 있는 경우가 있지만 혈관이 림프절에 유착되는 경우는 림프절 전이가 아주 심하고 주위조직 침윤이 심한 경우가 아니라면 분리가 어려운 경우는 거의 없습니다. 물론 림프절 전이가 심하여 림프절이 크면서 주위 조직 침윤이 심하면 하부갑상선 보존은 포기해야 합니다. 조금 더 자세히 말씀드리면 level 6 림프절은 하부갑상선에 들어가는 하갑상선동맥과 정맥 그리고 간혹 하부갑상선이 있을 수 있는 흉선의 내측에 위치하고 있고 잘 보면 림프절이 들어있는 지방조직과 흉선 사이에 plane이 있습니다(Fig 25).

림프절 청소할 때 하갑상선정맥이 가장 손상받기 쉬울 수 있는데 이 정맥도 흉선과 같은 plane에 있기 때문에 이 plane을 잘 찾으면 쉽게 림프절이 들어있는 지방조직을 혈관손상 없이 제거할 수 있습니다. 하부갑상선과 분포하는 동맥과 정맥을 갑상선으로부터 분리한 후에 측하방으로 제껴 놓고 앞서 말한 plane을 찾습니다. 지방조직이 많은 경우에는 plane이 쉽게 눈에 띄지 않을 수도 있는데 그런 경우에는 흉선을 찾아서 흉선 아래를 관찰하면 plane 찾기가 용이할 수 있습니다. 그리고 trachea를 내측으로 견인하면 림프절이 들어있는 지방조직이 잘 보이게 됩니다. 이 지방조직을 전방으로 적당히 견인하면서 plane을 따라 하방으로 점차 박리해 들어 가면 됩니다.

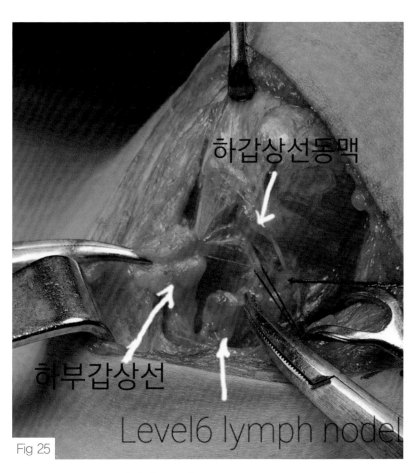

하갑상선동맥

하부갑상선

Level6 lymph node

Fig 25

Fig 25. 하부갑상선 보존과 Central lymph node dissection

06.

상부갑상선의 보존

　　상부갑상선은 하부갑상선에 비해 비교적 위치의 변화가 많지 않아 찾기는 용이한 편입니다. 대부분 Zuckerkandle tubercle 주위에 자리하고 있기 때문에 이것이 좋은 가이드가 될 수 있습니다. 하부갑상선과 흉선이 발생학적으로 연관이 있어 찾는 데 도움이 되는것과 마찬가지로 상부갑상선과 Zuckerkandle tubercle도 발생학적으로 연관이 있습니다. 아시다시피 갑상선은 발생 시 median thyroid component가 먼저 생성되고 조금 후 lateral thyroid component가 생성 된 후 둘이 결합하게 되는데 lateral thyroid component는 5번째 Branchial pouch 에서 발생합니다. 상부갑상선도 5번째 Branchial pouch에서 발생하지요. Embryo가 성장하면서 lateral thyroid component는 점차 pharynx에서 분리되기 시작하면서 pharynx와 연결된 긴 neck을 가진 깔때기 모양을 하게 되는데 이때 여기에 상부갑상선의 primordia가 같이 위치하게 됩니다. 이 부분을 ultimobranchial body 라고도 하는데 시간이 지나면서 이 부분이 pharynx와 완전히 분리되어 깔때기 모양의 neck 부분이 흔적으로 남으면 이 부분이 Zuckerkandle tubercle이 되는 것입니다. 그렇기 때문에 상부갑상선이 Zuckerkandle tubercle 주위에 위치하게 되고 특히 Zuckerkandle tubercle의 말단부에 주로 자리잡고 있어서 말단부가 뾰족한 모양을 하고 있는 경우에는 마치 상부갑상선을 손가락으로 가리키고 있는 듯한 느낌입니다(Fig 26). 그런데 Zuckerkandle tubercle이 항상 있는 것은 아닙니다. 약 60~80%에서 보이고 크기가 다양해서 1 cm 미만의 작은 돌기 모양을 한 경우부터 아주 크고 길게 후방으로 돌출해 있는 경우도 있습니다. 이렇게 크고 긴 경우 더구나 목이 굵고

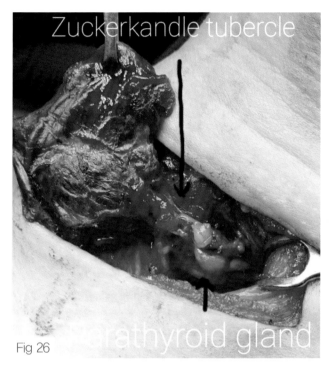

Fig 26

Fig 26. Zuckerkandle tubercle과 상부갑상선

짧은 남자의 경우에는 이 Zuckerkandle tubercle을 노출시켜 상부갑상선을 찾아내고 혈관을 보존하는 작업이 매우 어려울 수 있습니다. 상부갑상선은 Zuckerkandle tubercle의 말단부에 위치한 경우가 제일 많고 다음으로 Zuckerkandle tubercle의 상부 groove에 위치한 경우가 많으며 Zuckerkandle tubercle의 후방에 위치한 경우는 드뭅니다. 그러므로 상부갑상선을 찾을 때는 Zuckerkandle tubercle의 말단부부터 확인하고 없으면 다음으로 Zuckerkandle tubercle의 groove를 따라 탐색하는데 groove에 깊이 묻혀 있으면 잘 보이지 않을 수 있기 때문에 갑상선 피막을 벗기면서 확인해야 합니다. 또한 반대로 상부갑상선이 후방으로 식도 쪽으로 깊게 위치하고 있는 경우도 드물게 있기 때문에 Zuckerkandle tubercle 주위에 없으면 식도쪽으로 탐색을 할 필요가 있습니다. 그런데 이런 경우에는 상부갑상선동맥과 정맥이 매우 길기 때문에 손상받지 않도록 주의를 해야 합니다. 그리고 상부갑상선을 찾는데 Zuckerkandle tubercle 못지 않게 도움이 되는 것이 흉선조직입니다. 상부갑상선주위에 흉선조직이 있는 경우가 꽤 많은 것 같습니다. Gilmour의 관찰에 의하면 태아에서 25%의 경우 thymus Ⅳ가 있다고 하였습니다. 아시다시피 Thymus는 P Ⅲ에서 발생합니다. 그런데 P Ⅳ에서도 thymus가

발생할 수 있는지는 발생학적으로 논란이 있습니다.

　P Ⅳ에서 thymus가 생길 수 없다는 주장과 생길 수 있다는 주장이 공존합니다. 그러나 어찌되었건 상부갑상선 주위에 흉선조직이 있는 경우가 있는 건 사실이며 갑상선 후방에 황색의 흉선이 보이면 그 안에 상부갑상선이 존재할 가능성이 매우 높아서 좋은 가이드가 될 수 있습니다(Fig 27).

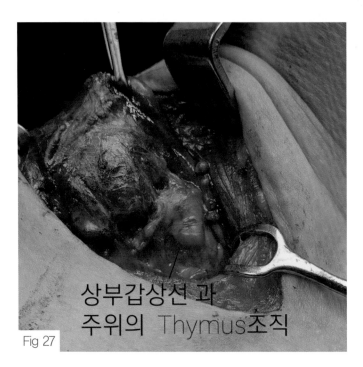

Fig 27. 상부갑상선과 주위의 Thymus 조직

　그리고 이 흉선(thymus Ⅳ) 은 Zuckerkandle tubercle의 말단부 주위에 위치해서 둘 다 상부갑상선을 찾는 데 도움이 되고 혹시 둘 중 하나가 없어도 다른 하나가 상부갑상선을 찾는 데 가이드가 되는 보완관계가 있다고 할 수 있습니다. 물론 둘 다 없는 경우도 있을 수 있는데 그런 경우에는 갑상선 후면의 상하 중간쯤 되는 부위부터 관찰합니다.

　상부갑상선이 지금까지 서술한 전형적인 위치에 있지 않다면 더 상방에 갑상선의 upper pole에 가까이 있는 경우, ligament of Berry에 가까이 있는 경우를 염두에 두고 탐색합니다.

상부갑상선을 찾을 때 갑상선을 노출하여 전방으로 최대한 견인하면서 관찰하면 하부갑상선과 같이 바로 보이는 수도 있지만 목이 굵고 깊으면 하부갑상선은 보여도 상부갑상선은 잘 보이지 않을 수 있습니다. 하부갑상선보다 상부갑상선이 조금 더 후방에 있기 때문인데 더구나 상부갑상선이 상방에 치우쳐 있거나 아주 상방이 아니라도 부갑상선이 갑상선의 후면에서 약간 내측으로 위치한 경우도 바깥에서는 잘 보이지 않게 됩니다. 그러면 할 수 없이 갑상선의 upper pole을 처리하여 상갑상선동맥을 절단하고 갑상선의 상부를 노출시켜 견인하면 시야가 좋아져서 보이지 않던 상부갑상선을 잘 찾을 수 있습니다.

그러나 가급적 upper pole을 처리하기 전에 미리 상부갑상선을 확인하는 것이 바람직한 이유는 상부갑상선에 하갑상선동맥으로부터 분포하는 혈관이 확실히 확인이 된다면 상갑상선동맥으로부터 분포하는 혈관을 반드시 보존해야하는 부담이 없어지는 반면에 하갑상선동맥으로부터의 혈관이 불확실하면 상갑상선동맥으로부터의 혈관을 보존하는 데 더 주위를 기울여야 하는 계획을 세울 수 있기 때문입니다. 그리고 상부갑상선이 확인되었다 하여도 바로 혈관보존작업을 하지 않습니다. 왜냐하면 상갑상선동맥으로부터의 혈관이 있는지, 있어도 보존이 용이한 상태인지 모르는 상황에서 먼저 하갑상선동맥 보존 작업을 했을 때 만일 실패하면 곤란한 상황이 올지 모르기 때문에 하갑상선동맥으로부터의 혈관을 담보로 해놓고 상갑상선동맥으로부터의 혈관을 먼저 확인하는 것이 바람직합니다.

상갑상선동맥으로부터 갑상선으로 4~5개의 분지가 나오게 됩니다(Fig 28).

가장 전방에 있으며 갑상선의 전상면을 따라 주행하는 분지가 가장 굵으며 제일 처음 만나게 되는 상갑상선동맥의 분지입니다. 이것은 상부갑상선과는 전혀 연결이 없는 분지로 상갑상선동맥간에 가까이에서 절단합니다. 2번째 처리할 분지는 갑상선의 측면으로 주행하는 분지인데 이것도 상부갑상선과는 관계가 없고 간혹 하부갑상선에 분포하는 경우는 있지만 역시 상갑상선동맥간에 가까이에서 절단합니다. 이상의 분지를 절단한 후 갑상선을 견인하면서 갑상선 upper pole의 내측을 관찰하면 지금까지 처리한 분지보다는 가는 1~2개의 분지가 있는 것

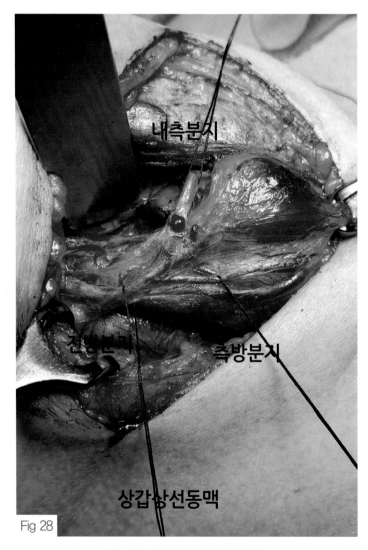

Fig 28. 상갑상선동맥의 분지

이 보이게 되는데 ligament of Berry 쪽으로 주행합니다. 그리고 더 아래쪽으로 갑상선 upper pole의 후면을 따라 또 하나의 가는 분지가 주행하는것을 볼 수 있습니다(Fig 29).

이 두개의 분지는 상부갑상선과 연결됩니다. 그런데 저는 내측으로 주행하는 분지는 거의 대부분 절단합니다. 이 분지는 하방으로 주행하여 ligament of Berry 방향으로 주행하고 거기에서 상부갑상선과 연결되는데 ligament of Berry 주위에서 주행이 복잡하고 또한 단단히 붙어 있어 분리해 내기가 어렵습니다. 그래서 upper pole의 후면으로 주행하는 분지가 없거나 너무 가늘어서 보존하기 어렵고 하갑상선동맥으로부터의 혈관도 보존하기 어려운 경우에만 할 수 없이 이 분지를 보존합니다. Upper pole의 후면으로 주행하는 분지는 있기만 하면 항상 보존하려고 합니다. 왜냐하면 거의 대부분 상부갑상선과 연결되고 주행이 육안으로 잘 보이면서 갑상선에서 분리하기가 하갑상선동맥의 분지보다 더 용이하기 때문입니다.

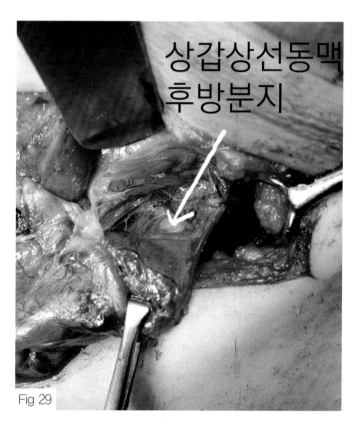

Fig 29

Fig 29. 상갑상선동맥의 후방분지. 상갑상선동맥의 전방분지는 절단하여 갑상선을 측하방으로 견인한 상태임.

하갑상선동맥으로부터의 분지는 마지막 부갑상선동맥이 나오는 부분이 Zuckerkandle tubercle의 약간 내측으로 주행하여 잘 보이지 않으면서 또한 갑상선 피막에 단단히 붙어있는 경우가 많아 분리하기가 상갑상선동맥 후방분지보다 더 어려운 경우가 많습니다(Fig 30).

혈관을 갑상선으로부터 분리할 때 절단해야하는 갑상선으로 들어가는 분지의 숫자는 상갑상선동맥 후방분지가 하갑상선동맥 분지보다 더 많습니다(Fig 31, 32).

그러나 비교적 분지가 잘 보이고 유착이 심하지 않아 어렵지는 않습니다. 상갑상선동맥간에서 상부갑상선까지 사이에 갑상선으로 들어가는 분지가 대략 3~5개 정도 있습니다. 위에서부터 아래로 내려가면서 차례로 절단해 나가는데 매우 가늘기 때문에 처음에는 어려울 수 있고 상갑상선동맥 후방분지에 손상을 줄 수도 있습니다만 경험이 쌓이면 어렵지 않게 보존할 수 있습니다. 그런데 후방분지보존에 가장 중요한 부분은 마지막 상부갑상선 동맥이 나오는 부분입니다. 이 부분에서 가장 실패를 많이 하게 되는데 그 이유는 다음과 같습니다.

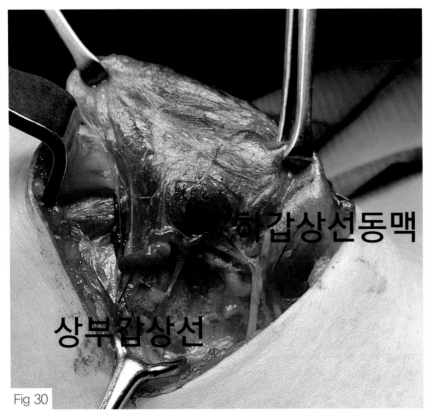

Fig 30. 상부갑상선과 하갑상선 동맥의 주행

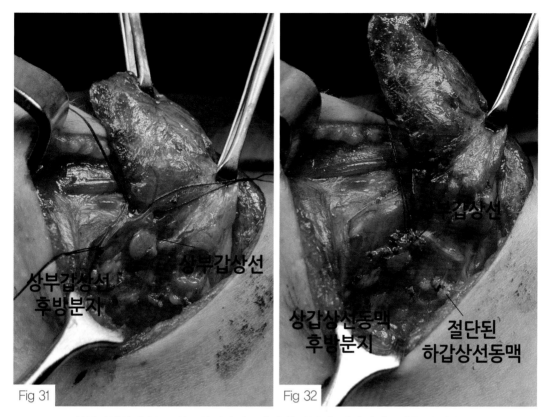

Fig 31, 32. 상부갑상선에 분포하는 상갑상선동맥의 후방분지. 하갑상선동맥은 차단된 상태이며 후방분지에서 하부갑상선전 갑상선으로 들어가는 분지를 결찰한 매듭이 5~6개 보임.

그림에서 보이듯이 갑상선 후방을 따라 진행하던 혈관이 상부갑상선 가까이 오면 방향을 바꿔서 Zuckerkandle tubercle의 상방 groove를 따라 주행하면서 이곳에서 상부갑상선동맥이 나오게 됩니다(Fig 33).

그러면 혈관을 보존할 때 상부갑상선동맥이 어디에서 나오는지 확인하고 그 이하에서 갑상선으로 들어가는 혈관을 절단해야 하는데 상부갑상선이 갑상선의 후면이나 Zuckerkandle tubercle의 말단부에 있으면 상갑상선동맥 후방분지에서 나오는 상부갑상선동맥을 쉽게 확인할 수 있으나 상부갑상선이 groove를 따라 전방에 위치하고 있으면 어디에서 상부갑상선동맥이 나오는지 정확한 위치를 알기 어렵습니다. 상부갑상선동맥이 짧은 경우에는 상부갑상선동맥을 다칠 가능성이 낮지만 만일 상부갑상선이 길 경우 상부갑상선동맥이 상갑상선동맥 후방분지에서 나오는 지점의 근위부에서 혈관을 절단하면 상부갑상선동맥이 절단되어 버리는 결과를 초래

하게 됩니다. 그러므로 상부갑상선동맥이 어디에서 나오는지 정확히 확인하고 그 원위부를 절단해야 하고 만일 잘 보이지 않으면 가급적 상부갑상선에서 충분한 거리를 두고 원위부에서 절단하도록 해야 합니다(Fig 34, 35, 36). 그런데 다행히도 상부갑상선이 groove에 있는 경우 상

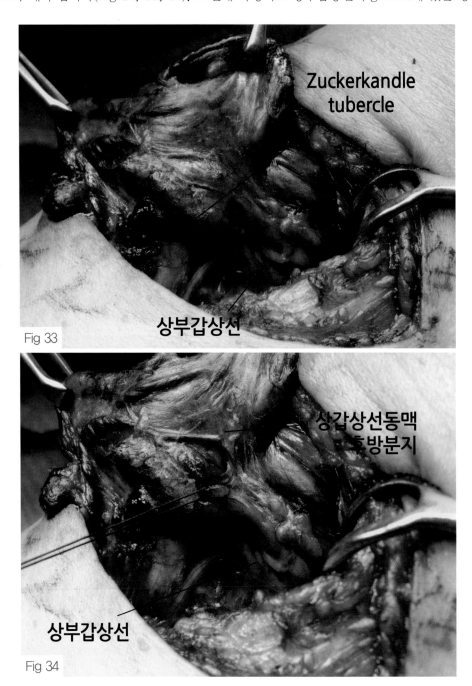

Fig 33

Fig 34

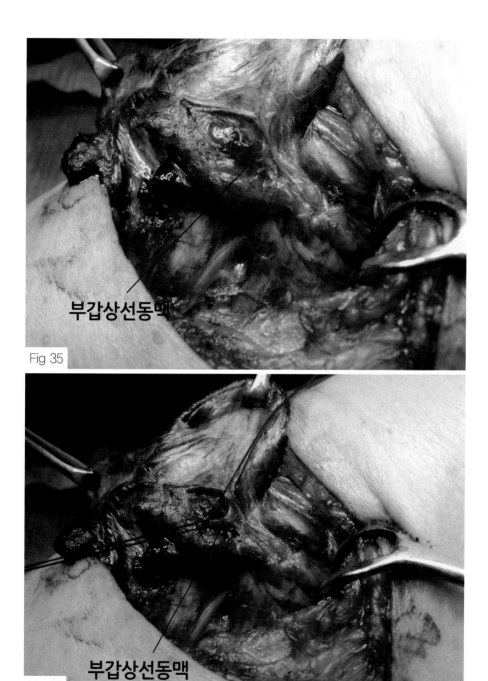

부갑상선동맥

Fig 35

부갑상선동맥

Fig 36

Fig 33, 34, 35, 36. 상부갑상선과 상갑상선동맥의 후방분지가 Zuckerkandle groove를 따라 주행함. 상갑상선동맥 후방분지에서 상갑상선으로 들어가는 부갑상선동맥이 분지되는 기시부를 정확히 확인하기 위해 정밀하게 혈관을 노출시키고 부갑상선동맥 기시부보다 말단부에서 갑상선으로 들어가는 분지를 결찰함.

갑상선동맥의 길이는 대개 짧기 때문에 충분한 거리를 두고 절단하면 대개 무사히 잘 보존됩니다. 다만 groove에 묻혀 있는 혈관을 조심스럽게 분리하는 작업이 처음에는 쉽지 않을 것입니다.

그리고 상부갑상선을 상갑상선동맥의 후방분지와 하갑상선동맥의 상분지가 연결되고 Zuckerkandle tubercle 주위에서 상부갑상선동맥이 분지되는 경우가 많은데 상갑상선동맥의 후방분지가 잘 보존되었으면 하갑상선동맥을 같이 보존하지 않아도 무방하지만 저는 가급적 같이 보존하려 하고 있습니다(Fig 37). 그런데 앞서 언급한 바와 같이 하갑상선동맥의 분지는 갑상선으로 들어가는 분지의 숫자는 상갑상선동맥보다 적어서 보통 2~3개 정도이지만 혈관이

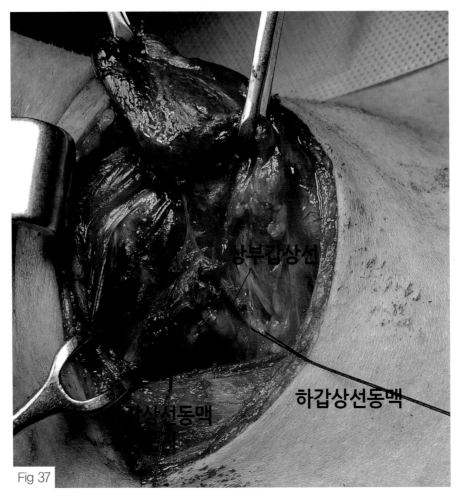

Fig 37. 상, 하갑상선동맥이 연결되고 상부갑상선에 분포하는 부갑상선동맥이 분지함.

갑상선피막에 단단히 붙어있어서 분리가 어려운 경우가 많습니다.

하여튼 상갑상선동맥의 후방분지와 하갑상선동맥의 상분지가 만나고 여기에서 Zuckerkandle groove를 따라 가지가 주행하는 세갈래 교차로의 어느 자리에서 상부갑상선동맥이 나오는지 확인해서 그 원위부에서 groove를 따라 주행하는 분지를 절단하는 것이 요점이며 이 요령만 터득하게 되면 상부갑상선은 하부갑상선보다 찾기가 쉽기 때문에 부갑상선 기능 저하를 방지하는 데 든든한 담보가 될 수 있습니다. 정맥의 보존은 하부갑상선과 달리 따로 보존해야 할 정맥은 없습니다. 상갑상선동맥의 후방분지에 정맥이 같이 주행하기 때문에 상갑상선동맥을 보존할 때 크게 정맥보존에 신경쓰지 않아도 같이 보존되는 데 반해 하갑상선동맥은 정맥과 같이 주행하지 않기 때문에 주위의 작은 collateral vessel에 의해 drain되기를 바랄 수밖에 없습니다.

그래서 그런지 상갑상선동맥의 후방분지 보존에 실패하고 하갑상선동맥 상분지를 보존했을 때 조금 더 상부갑상선에 충혈이 오는 빈도가 높은 느낌입니다(Table 2). 이것도 제가 상부갑상선을 보존할 때 하갑상선동맥보다 상갑상선동맥 후방분지 보존을 더 중요시 하는 이유 중에 하나입니다. 그리고 상갑상선동맥 후방분지가 보존에 실패하고 차단된 경우라도 차단된 자리가 상부갑상선에서 멀수록 충혈이 덜 오는 것 같습니다. 차단되었어도 상부갑상선 쪽에 남은 혈관이 길수록 정맥의 collateral이 있을 확률이 높아져서 충혈이 덜 오는 것이 아닌가 생각됩니다.

상갑상선동맥과 하갑상선동맥 모두 보존에 실패하여도 상부갑상선의 보존이 가능합니다. 잘 아시다시피 상하갑상선동맥의 trunk를 결찰하여도 상부갑상선의 혈류는 잘 유지됩니다. Collateral circulation이 있기 때문인데 갑상선절제를 할 때는 이 collateral circulation을 유지하기가 어려울 수 있기 때문에 상하갑상선 동맥의 분지를 보존했을때보다는 보존 성공률이 떨어질 수밖에 없습니다.

제 경험상 상하갑상선 동맥 분지를 모두 보존에 실패하여도 1/3의 경우에서만 상부갑상선의 변색이 왔었습니다.

Curtis에 의하면 갑상선동맥과 후두, 인두, 기도, 식도의 동맥 사이에 풍부한 collateral이 있는 것을 cadaver를 대상으로한 연구에서 증명하였습니다(Curtis Surg Gynecol Obstet 315:805-9).

그러나 실제 수술 시 이러한 collateral을 직접 육안으로 확인하면서 보존할 수 있는 것은 아닙니다. 다만 상부갑상선에 들어가는 상부갑상선 동맥은 어떻게 하든 손상받지 않게 보존하면서 ligament of Berry 주위의 혈관을 잘 관찰하여 상부갑상선 동맥이 잘 연결되도록 하는 것이 최선입니다.

Ligament of Berry 주위를 잘 관찰하면 하갑상선동맥의 상분지중 하나가 recurrent nerve의 내측으로 기도를 따라 주행하다가 ligament of Berry에서 기도 내측으로 들어가는 것을 거의 대부분의 경우에서 관찰할 수 있으며 또한 상갑상선동맥의 분지 중 하나가 갑상선 상부의 내측으로 주행하다가 또한 ligament of Berry에서 안으로 들어가는 경우도 흔히 볼 수 있는데 이러한 혈관과 상부갑상선 동맥이 연결될 수 있습니다. 이러한 혈관을 절단해보면 동맥 혈이 역류해서 나오는 것을 관찰 할 수 있어서 collateral circulation이 있는 것을 확인할 수 있습니다.

그러나 실제 수술 시 이러한 collateral 혈관을 보존하는 것은 상갑상선동맥의 후방분지나 하갑상선동맥의 상분지를 보존하는 것보다 훨씬 어렵고 실패할 확률이 높습니다. 그러므로 상 하갑상선동맥을 보존하지 못했고 collateral 혈관을 보존할 수밖에 없는 상황일 때에는 잘 판단 해서 혈관만을 보존하기가 어렵다고 생각되면 무리하지 말고 갑상선조직을 조금 남겨서 near total resection을 하여 안전하게 보존하는 것을 권하고 싶습니다.

07.

부갑상선과 분포혈관을 찾기 어려운 경우

상하부갑상선이 전형적인 위치에 있고 분포혈관의 주행도 통상적이라면 술자가 조금만 경험이 쌓이면 부갑상선과 혈관을 찾기에 어려움이 없으며 앞서 서술한 술기에 따라 보존하면 됩니다. 그러나 간혹 부갑상선과 혈관이 쉽게 눈에 띄지 않는 경우가 있습니다. 아주 다양한 양상이 있을 수 있지만 전부 기술할 수는 없고 대표적인 경우만 몇 가지 소개하도록 하겠습니다.

첫 번째로 하부갑상선이 갑상선의 비교적 전방에 위치하면서 갑상선피막에 덮여서 보이지 않는 경우입니다. 갑상선피막에 가려서 보이지 않는 Type 3의 경우입니다(Fig 38).

분포혈관이 하갑상선동맥이면서 전방에 치우쳐 있는 type Ib인 경우에도 갑상선 피막에 가려 있는 경우도 있지만 분포 혈관이 상갑상선동맥인 type3 인 경우가 더 흔한 것 같습니다.

갑상선 전방에 위치해 있어도 갑상선 피막 밖에 있으면 찾기 어렵지 않으나(Fig 39) 피막에 묻혀 있으면 쉽게 찾을 수 없습니다.

갑상선 lower pole 주위에 하부갑상선이 보이지 않고 흉선에도 없으면 혹시 이런 경우가 아닌지 의심해야 합니다.

그런데 이때 만약 갑상선의 측면으로 상갑상선동맥의 분지가 굵게 잘 발달되어 주행하고 있으면 이러한 경우일 가능성이 높습니다. 이 혈관이 보이지 않는 하부갑상선의 위치를 추적할 수 있게 돕는 좋은 가이드가 될 수 있습니다.

이 혈관을 따라서 주위를 잘 살피는데 혈관의 원위부에서 시작해서 근위부로 살피는 것이 좋습니다. 확률상 근위부보다 원위부쪽에 있을 가능성이 높기 때문입니다.

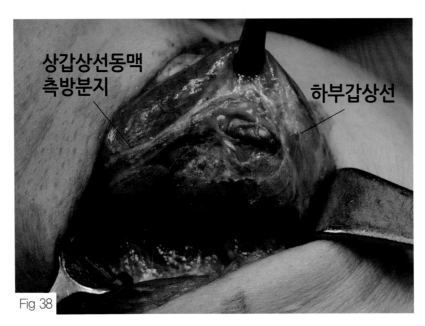

Fig 38

Fig 38. 하부갑상선이 갑상선 피막에 덮여 잘 보이지 않음. 상갑상선동맥의 측방 분지가 분포하며 하부갑상선의 위치를 가늠할 수 있음.

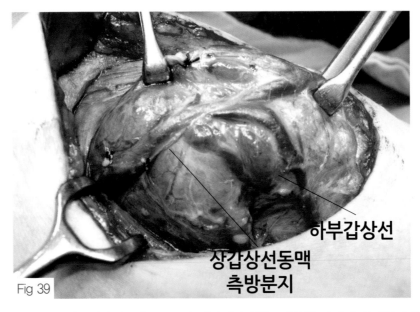

Fig 39

Fig 39. 하부갑상선이 상부갑상선동맥으로부터 연결되어 있음. 갑상선 피막이 덮여있지 않아 육안으로 잘 보이고 있음.

부갑상선이 갑상선피막에 덮여 있어서 일견 보이지 않더라도 잘 살펴보면 주위 갑상선보다는 더 황색을 띄는 곳이 보일 때 갑상선 피막을 조심스럽게 벗기면 모습을 드러내게 됩니다 (Fig 40). 그리고 부갑상선은 대체로 혈관의 후방에 위치하고 있으므로 혈관의 아래쪽을 따라서 관찰하기 바랍니다.

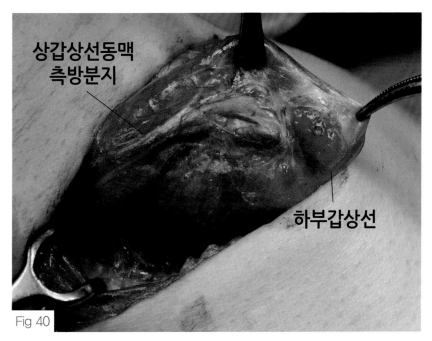

Fig 40. 피막에 덮여있던 하부갑상선을 노출시킴.

하부갑상선이 나타나면 상갑상선동맥 분지에서 하부갑상선동맥 분지가 나오는 곳을 정확히 확인하고 상갑상선동맥 분지에서 갑상선으로 들어가는 가지를 하나하나 절단해 나가면서 하부갑상선과 상갑상선동맥 분지를 갑상선으로부터 분리 보존합니다. 정맥도 동맥과 같이 주행하므로 동맥과 같이 분리하면 됩니다(Fig 41).

처음 이런 경우를 만나면 부갑상선을 찾는 것만이 아니라 보존하는 것도 어렵습니다. 전형적인 경우보다 보존 중 혈관 손상이 올 가능성이 높기 때문입니다. 그러나 경험이 쌓이면 그렇게 어렵지는 않으며 본인의 경우 처음에는 보존 성공률이 50% 미만이었으나 근래에는 70~80% 는 보존할 수 있습니다.

두 번째 경우는 하부갑상선이 갑상선의 groove에 묻혀 있는 경우입니다(Fig 42).

갑상선 하방에 groove가 경우에 따라 깊게 발달된 갑상선도 있고 거의 groove를 알 수 없는 갑상선도 있는데 통상적인 위치에서 하부갑상선을 발견할 수 없으면서 갑상선 하부에 groove가 깊게 보이면 혹시 이런 경우가 아닌지 생각해야 합니다. groove를 조심스럽게 벌려보면 하부갑상선이 노출됩니다(Fig 43). 보존은 아무래도 하부갑상선이 밖에 노출되어 있는 경우보다는 혈관을 보존하는 것이 까다롭습니다.

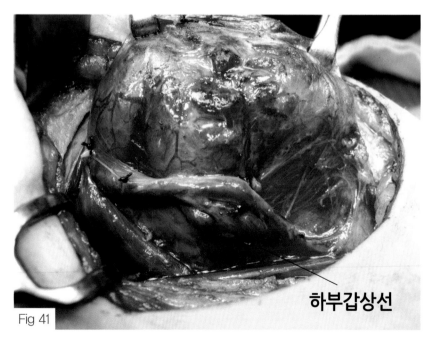

Fig 41

하부갑상선

Fig 41. 하부갑상선에 분포하는 상갑상선동맥을 보존하여 하부갑상선을 성공적으로 보존함.

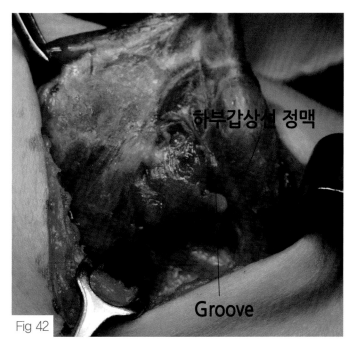

Fig 42. 하부갑상선이 갑상선하부의 Groove에 묻혀있어 보이지 않음.

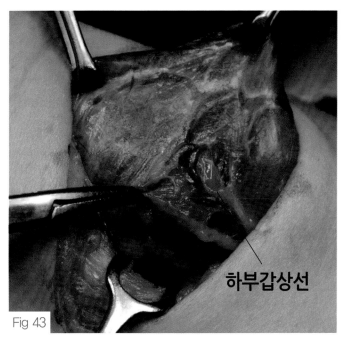

Fig 43. Groove 를 벌려서 하부갑상선을 노출시킴.

Groove를 벌려서 혈관을 확인해야 하므로 시야도 좋지 않고 혈관이 처음부터 뚜렷하게 보이지 않습니다. 그렇지만 차분히 관찰하여 혈관을 확인하면 그리 어렵지 않게 보존할 수 있습니다. 하부갑상선은 groove 밖에 노출되어 있고 혈관만 groove 안에 있는 경우도 있으며 이러한 경우는 보존이 조금 더 용이합니다(Fig 44).

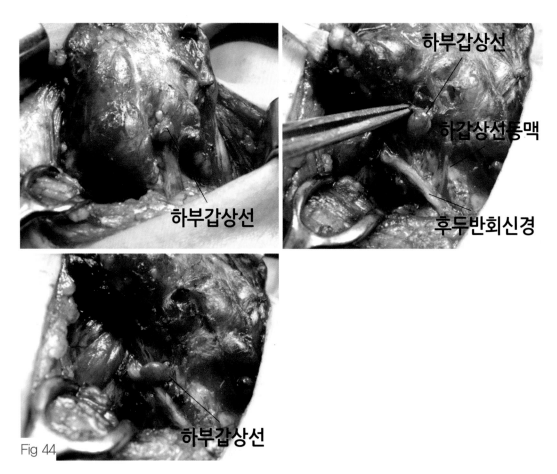

Fig 44. 하부갑상선의 혈관만 Groove에 묻혀있음. Groove를 벌려 혈관을 노출시켰으며 혈관이 후두반회신경 내측으로 주행함.

세 번째는 하부갑상선의 분포혈관인 하갑상선동맥의 분지가 후두반회신경의 내측으로 주행하는 경우입니다(Fig 45). 이때에는 하부갑상선이 갑상선 밑으로 깊게 위치하고 있어서 보이지 않는 경우가 많습니다. 아주 깊지 않아서 보인다 하더라도 혈관은 바로 보이지 않습니다. 부갑상선과 혈관을 노출시키려면 갑상선을 전방으로 강하게 견인하여야 하는데 아무래도 혈관이 후두반회신경 외측으로 주행하는 경우보다는 시야가 좋지 않아서 혈관의 보존이 조금 더 까다롭습니다.

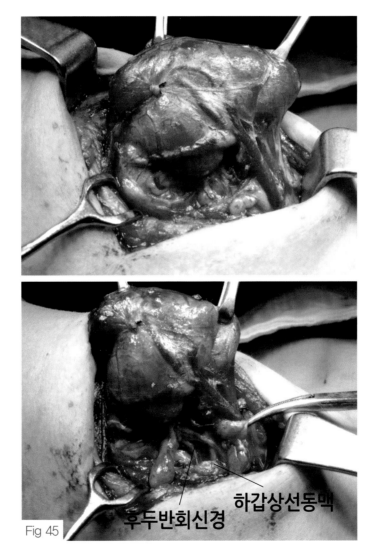

Fig 45. 하부갑상선이 갑상선하방 내측으로 깊게 위치하고 있어 잘 보이지 않음. 혈관이 후두반회신경 내측으로 주행함.

네 번째는 하부갑상선은 갑상선 표면에 보이지만 혈관이 갑상선안으로 주행하여 보이지 않는 경우입니다(Fig 46, 47, 48). 앞서 언급한 groove에 묻혀 있는 경우와는 다르게 groove에 묻혀 있는 경우는 groove를 벌리기만 하면 부갑상선과 혈관이 노출되지만 이러한 경우는 갑상선 조직을 절개해야만 혈관이 노출됩니다. 따라서 혈관을 노출시키기 위해 갑상선 조직을 절개하는 과정에서 혈관이 손상받을 가능성이 높고 노출되었다 하더라도 보존이 상당히 어렵습니다.

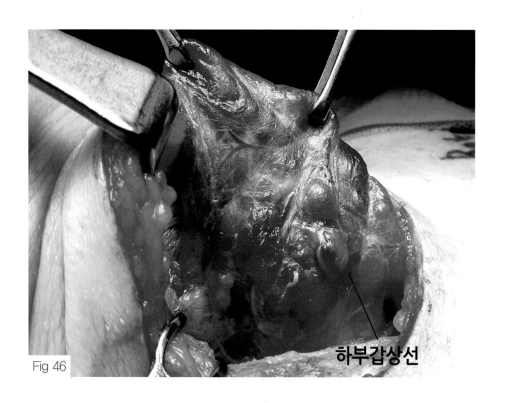

하부갑상선

Fig 46

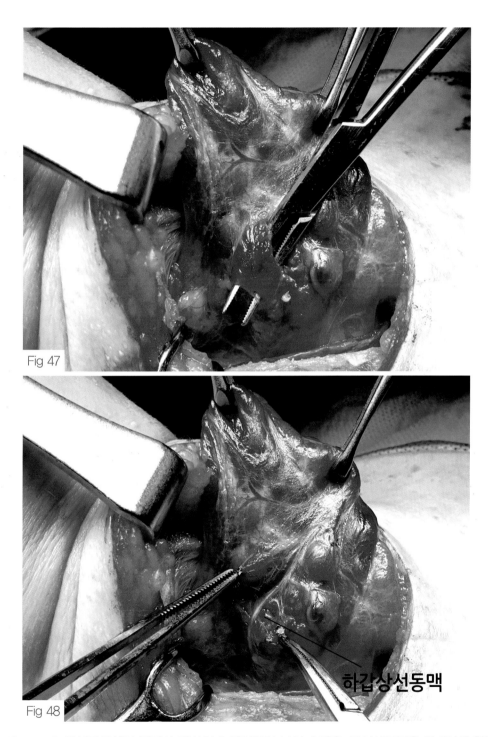

하갑상선동맥

Fig 47

Fig 48

Fig 46, 47, 48. 하부갑상선의 혈관이 갑상선에 묻혀있어 보이지 않음. 갑상선조직을 절개하여 혈관을 노출시킴.

하부갑상선이 전방에 위치할수록 혈관이 깊이 묻혀 있고 그만큼 절개해야 할 갑상선의 길이가 길고 혈관을 찾기가 어려워 지며 보존가능성도 낮아집니다. 그리고 이러한 경우 분포혈관도 대체로 후두반회신경 내측으로 주행합니다(Fig 49).

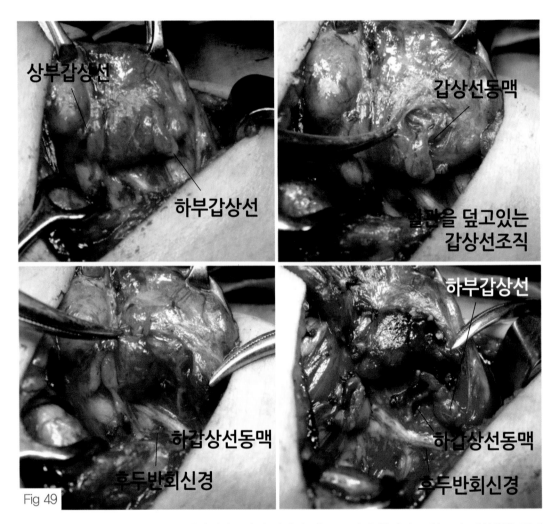

Fig 49. 하부갑상선에 분포하는 하갑상선동맥이 갑상선 내부로 깊게 통과하고 있으며 갑상선을 절개하여 혈관을 노출시켜 보존함.

이러한 경우가 (Type Ic, 6) 하부갑상선중 가장 보존이 어렵습니다.

이러한 경우를 처음 접했을 때는 보존하겠다는 엄두를 내기도 어렵습니다. 그러나 혈관이 아주 깊고 길게 묻혀 있지 않은 경우에서 갑상선을 절개해 혈관을 노출시키는 경험을 한번 해 보면 할 수 있겠다는 자신감이 생기게 됩니다. 설사 혈관보존은 실패하였다 하더라도 혈관을 찾아 낸 것만 하더라도 큰 진전이며 혈관보존은 경험이 쌓임에 따라 성공률이 높아질 수 있습니다. 갑상선 절개의 시작은 부갑상선 주위에서부터 시작해서 하갑상선동맥쪽으로 내려가면서 절개하는데 가능하면 하갑상선동맥이 갑상선으로 들어가는 부위를 관찰하고 하부갑상선과 연결된 가상의 라인을 추정해서 절개해나갑니다. 우선 하부갑상선 주위의 피막을 조심스럽게 박리하면 조금씩 혈관이 보이기 시작합니다. 그러면 혈관 주위에 조그만 틈새를 모스키토로 조금씩 벌려 점차 하갑상선동맥쪽으로 진행하면 의외로 혈관주위에 공간이 약간 있는 것을 느낄 수 있습니다. 그러면 모스키토 바깥의 갑상선 조직을 절개하고 노출된 혈관 주위로 조금 더 모스키토를 전진시키고 다시 갑상선을 절개하면서 완전히 하갑상선동맥까지 도달할 때까지 진행해 나갑니다.

모스키토를 집어넣을 때 육안으로 혈관을 보면서 하는 것이 아니기 때문에 어쩔 수 없이 손끝의 감각에 의지해서 혈관의 방향을 찾을 수밖에 없습니다. 절대 무리하지 말고 천천히 진행해야 옳은 혈관의 방향을 찾을 수 있으며 무리해서 잘못된 방향으로 억지로 모스키토를 밀어넣으면 출혈을 일으키고 혈관에도 손상을 줄 수 있으므로 인내심을 가지고 차분하게 진행하여야 합니다.

처음에는 아주 어려울 수 있지만 경험이 쌓이면 혈관을 찾는 것은 어느정도 되는데 혈관을 다치지 않고 보존하는 것은 아주 어렵습니다. 저의 경우 지금도 이러한 type의 하부갑상선 보존 성공률은 50% 이하입니다. 그래서 솔직히 다른 부갑상선이 잘 보존되었으면 항상 이런 부갑상선을 보존하려고 하지는 않습니다. 그러나 다른 부갑상선이 잘 보존되지 않았다면 어떻게 해서든 보존해야 하며 그럴 때를 대비해서라도 자꾸 보존을 시도해 보아야 합니다.

간혹 상부갑상선의 경우에도 갑상선 내부에 묻혀 있어서 상부갑상선과 혈관이 보이지 않는 경우가 있습니다(Fig 50). 그런데 상부갑상선의 경우 대체로 Zuckerkandle groove에 상부갑상선과 혈관이 묻혀 있고 그 위에 갑상선 조직이 다리같이 지나가면서 덮여 있는 양상입니다. 이때 부갑상선은 길다란 방추형인 모양입니다. 그러나 혈관이 갑상선 내에 묻혀 있는 경우

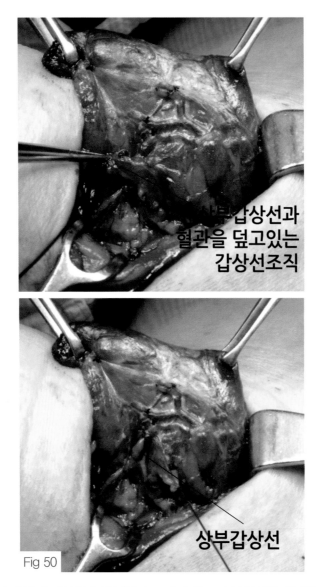

Fig 50. 상부갑상선과 혈관이 갑상선에 묻혀있어 보이지 않으며 갑상선을 절개하여 상부갑상선과 혈관을 노출시킴. 상부갑상선이 방추형의 모양을 하고 있음.

는 대부분 하부갑상선이고 상부갑상선이 이러한 양상인 경우는 드뭅니다. 그런데 드물지만 상부갑상선에서도 groove가 덮이면서 혈관이 묻히는 양상을 보면서 하부갑상선에서 혈관이 갑상선 내로 통과하는 경우가 groove에 묻혀 있는 경우와 완전히 별개의 양상이 아니고 groove에 묻혀 있는 type에서 갑상선조직이 groove를 지나서 덮여버리면 이러한 모양이 되는 것이 아닌가 하는 추측을 하게 되었습니다. 나아가서 간혹 부갑상선이 완전히 갑상선 내에 있는 경우도 있는데 이러한 경우도 같은 이유로 생긴 현상이 아닌가 생각됩니다.

상부갑상선이 ligament of Berry에 밀착되어 위치하고 있는 경우도(Fig 3, type 6) 발견과 보존이 어렵습니다. 갑상선을 전방으로 견인하여도 워낙 깊숙하게 위치하고 있기 때문에 처음에는 보이지 않고 Zuckerkandle tubercle까지도 박리하여 전방으로 견인해서 ligament of Berry가 노출되어야만 상부갑상선이 보이게 됩니다. 그러므로 상부갑상선이 통상적인 위치인 Zuckerkandle tubercle의 말단부 주위에 보이지 않는다면 더 깊이 ligament of Berry주위에 있을 가능성을 염두에 두고 조심스럽게 더 안쪽으로 박리를 진행하면서 하갑상선동맥의 분지를 가급적 절단하지 않는 것이 바람직합니다. 이러한 type의 경우는 상부갑상선의 크기도 대체로 작으면서 혈관의 보존도 아주 어렵습니다. 말단부의 부갑상선동맥과 정맥이 육안으로 잘 보이지 않으며 보이더라도 ligament of Berry에 단단히 붙어있어 혈관만을 분리해 내기가 아주 어렵습니다. 따라서 대부분의 경우 갑상선조직을 조금 남겨서 근전절제를 하게 됩니다.

지금까지 소개한 사례 외에도 다양한 이유로 부갑상선이 보이지 않는 경우도 있을 수 있습니다. 갑상선 수술 범위 밖의 경부의 아주 위나 아래의 경동맥 주위에 있거나 흉선 깊이 묻혀 있거나 하면 당연히 보이지 않겠지만 이런 경우는 부갑상선 손상 가능성이 없기 때문에 문제가 없습니다.

또 갑상선 내부에 깊이 묻혀 있어서 보이지 않을 수 있는데 이런 경우는 불가항력적이어서 어쩔수 없습니다.

그러나 제가 하나 강조하고 싶은 점은 이제까지 소개한 특수한 경우가 아닌 정상적인 위치에 있는데도 발견하지 못하는 경우가 더 많을 수 있다는 것입니다. 갑상선 피막에 살짝 가려 있든지, 연령이 높은 환자에서 부갑상선의 색깔이 주위지방조직이나 흉선과 유사해서 잘 눈에 띄지 않는 너무 작아서 잘 보이지 않던지 등의 이유로 바로 눈앞에 두고도 부갑상선을 찾지 못하는 경우가 많습니다.

그러므로 일견 부갑상선이 눈에 띄지 않을 때 상기 이유를 생각하여 다시 한번 통상적인 위치에서 살펴보아야 합니다. 그럼에도 찾기 어려울 때는 앞서 소개한 예를 염두하여 살피면 되겠습니다.

08.

부갑상선과 분포혈관을 찾았어도 보존이 어려운 이유

부갑상선과 분포혈관을 육안으로 확인하였어도 갑상선조직을 붙이지 않고 혈관만을 분리하여 보존하는 작업이 결코 쉽지는 않습니다.

혈관이 말단으로 갈수록 점차 가늘어져서 혈관이 전반적으로 가늘은 환자인 경우에는 모기다리같이 가늘어지고 육안으로 보일락말락 하는 경우도 있습니다.

혈관의 탄력성은 환자마다 다르고 연령에 따라서도 다를 수 있습니다. 예를 들어 환자의 체격이 작고 연령이 높은 여자 환자인 경우 혈관이 더 가늘고 탄력성도 떨어지기 때문에 보존에 실패할 확률이 높아집니다. 그리고 갑상선을 정상상태에서 수술하는 것이 아니고 전방으로 견인하면서 수술하기 때문에 혈관도 당겨지면서 가늘어지는 것도 혈관의 말단부를 보존하기가 어렵게 되는 데 한몫을 한다고 생각됩니다. 혈관이 잘 보이지 않을 때는 갑상선을 견인하는 것을 조금 풀어서 보는 것도 한가지 요령입니다. 저는 갑상선수술을 시작한 초기에 혈관을 조금이나마 굵게 만들어보려고 온수를 뿌려보거나 Papaverine을 도포해 보기도 했었습니다만 큰효과를 보지 못하고 그만두었습니다. 그런데 수술을 계속하면서 처음에는 잘 보이지 않던 가는 혈관이 눈에 들어오는 것이 느껴졌습니다.

그리고 혈관이 보인다 하더라도 워낙 가늘기 때문에 아주 섬세하고 부드러운 조작으로 혈관이 다치거나 끊어지지 않게 갑상선 피막으로부터 분리해야 하는데 처음부터 잘 되기를 바랄수는 없습니다.

처음에는 다반사로 혈관을 다쳐서 보존에 실패하는데 이때 포기하지 말고 계속 노력해야 합니다. 제가 학회에서 저의 술기를 발표한 후 저와 같이 해보려고 시도하였으나 너무 어려워서 못하겠다고 하시는 분들이 있었습니다. 그래서 제가 처음에는 당연히 어려운데 계속하시면 할 수 있게 될거라고 말씀드렸지만 그 후 어떻게 되었는지는 모르겠습니다.

부갑상선 동맥과 정맥이 갑상선 동맥과 정맥 어디에서 나오는지 확인하고 그 원위부를 결찰하고 자르는데 혈관과 갑상선피막을 분리하기 위해 모스키토 감자를 혈관과 갑상선 피막 사이로 삽입하여야 합니다. 이때 혈관과 갑상선 피막 사이로 정확하게 삽입해야 합니다. 잘못해서 혈관을 찌르거나 갑상선 조직을 찌르면 출혈이 되면서 시야가 나빠지고 조직이 피로 염색되면 작업이 어렵게 됩니다. 모스키토를 정확히 삽입하기 위해서는 혈관을 forcep으로 살짝 잡고 부드럽게 견인하면서 삽입하는 것이 좋은데 forcep으로 너무 세게 잡거나 당겨도 혈관이 다칠수 있으므로 적당한 힘이 필요합니다. 그 감을 알게 되기까지는 개개인에 따라 다르겠지만 어느정도 시간이 소요됩니다.

모스키토를 삽입한 후에는 적당한 힘과 속도로 벌리면서 틈을 만들어야 하는데 그 감각을 얻는 데에도 시간이 필요합니다. 우리의 몸은 엄청난 회로를 가지고 무한한 정보의 저장과 처리를 할 수 있는 슈퍼컴퓨터와 같은 뇌와 그 지시를 실행을 할 수 있는 신경과 근육으로 이루어진 정밀한 기계라고 할 수 있습니다. 새로운 정보와 함께 감각의 정보도 뇌에 입력되면서 부갑상선을 보존하는 작업을 하면 할수록 진화가 이루어집니다. 처음에는 실패하더라도 계속 시행하면 안될 것 같던 수술이 가능해지고 나아가서 능숙하게 가는 혈관을 보존할 수 있는 경지에 이르게 됩니다. 저 자신도 처음에는 반신반의 했지만 지금은 제 자신이 신기하게 느껴질 정도로 그 가느다란 혈관을 대부분 보존할 수 있게 되었습니다.

그리고 혈관은 가늘더라도 예상외로 탄력이 있어서 꽤 길게 잡아당겨도 잘 끊어지지 않아서 너무 겁을 내지 않아도 됩니다. 그렇지만 순간적으로 빠르게 당기면 끊어지므로 forcep으로 잡아당기거나 모스키토를 벌릴 때 서서히 등속도로 시행해야 합니다.

그런데 어느정도 경험이 쌓이면 사실 눈에 보이는 혈관 자체를 다쳐서 보존실패하는 경우는 많지 않습니다. 눈에 보이는 혈관의 뒤로 갑상선으로 들어가는 가지가 있는 것을 보지 못하고 이것을 다쳐 출혈이 되면서 보존에 실패하는 경우가 많습니다.

그러므로 혈관의 뒤로 모스키토를 삽입하기 전에 항상 뒤에 갑상선으로 들어가는 가지가 있는지 잘 관찰하는 것이 중요합니다.

또 한가지 혈관의 보존이 어려운 경우는 말단 부갑상선 혈관이 작은 갑상선 돌기 밑에 숨어 있어서 측면에서 보았을 때 보이지 않는 경우입니다.

하부갑상선보다는 상부갑상선이 Zuckerkandle tubercle 말단에 위치할 때 이런 경우가 종종 있습니다. 돌기를 전방으로 들추고 혈관을 육안으로 확인할 수는 있지만 이런 경우 혈관이 갑상선에 단단히 붙어 있는 경우가 많아 혈관 만을 분리하기가 어려울 때가 많습니다. 이런

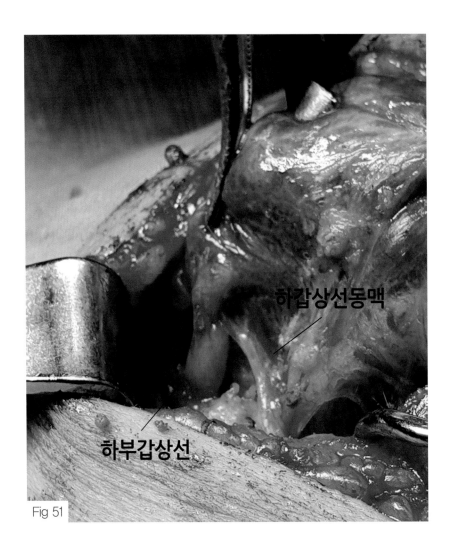

Fig 51

하갑상선동맥

하부갑상선

경우 실패한 가능성이 높다고 생각되면 최소한의 갑상선조직을 붙여서 안전하게 보존하는 것이 좋습니다(Fig 51, 52).

Fig 51, 52. 하부갑상선의 부갑상선동맥이 갑상선 조직에 단단히 묻혀있어 분리가 어려워 갑상선 조직을 소량 남기고 보존함.

09.

종양이 크거나 만성 갑상선염이 심한 경우의 부갑상선 보존

　　종양이 크더라도 다행히 갑상선 후면에 피막침윤이 없으면 부갑상선 보존에 문제가 없지만 대체로 4 cm 이상의 크기이면 부갑상선 보존이 어려운 경우가 많습니다. 종양이 크지 않아도 부갑상선 가까이 종양이 있으면 부갑상선보존이 어려울 수 있습니다. 이러한 경우 저는 부갑상선 보존 확률을 높이기 위해 우선 종양이 있는 편의 갑상선에서도 부갑상선이 있는 갑상선 후면이 잘 유지되어 있어 보존에 문제가 없다면 그대로 진행합니다. 그러나 부갑상선이 종양과 가까이 위치해서 보존이 불가능하지는 않지만 실패할 가능성도 높다고 판단되면 부갑상선 보존작업을 종양이 있는 갑상선부터 시작할지 아니면 반대편 갑상선에서 먼저 할지 생각해 보는 것이 좋습니다.

　　왜냐하면 종양이 있는 쪽의 부갑상선부터 보존하여 다행히 성공하면 아무 문제가 없겠지만 만약 실패하면 반대편 부갑상선을 반드시 보존해야만 하는 상황이 되기 때문에 큰 부담을 느끼게 됩니다.

　　물론 반대편 갑상선의 부갑상선을 갑상선 근전절제술이나, 아니면 아전 절제술을 해서라도 어떻게든 보존할 수도 있겠지만 되도록 완전한 갑상선절제술을 하고 부갑상선만 보존하는 원칙에 충실하려면 부갑상선보존 술기에 어느 정도 자신이 있어야 합니다. 그래서 만일 부갑상선이 어떤 어떤 형태의 해부를 가지고 있어도 보존할 수 있는 자신이 있으면 종양이 있는 반대편 갑상선의 부갑상선을 먼저 보존해 놓고 종양이 있는 갑상선의 부갑상선은 실패의 부담 없이 보존해보고 어려우면 아예 처음부터 보존 시도하지 않고 희생해서 수술시간을 불필요하게 연장하지 않도록 하는 것이 바람직할 수도 있습니다. 그러나 어떤 부갑상선이라도 보존할 수 있는 자신이 없고 아직도 일정부분 보존에 실패하는 단계에 있는 술자라면 가능한 한 많은 부갑상선을 보존하도록 노력해서 보존 확률을 높여야 하므로 우선 종양이 있는 쪽의 부갑상선부터 보존을 시도하는 것이 좋습니다. 만일 종양 반대쪽의 부갑상선부터 보존을 시도하였다가 실패했을 때에는 큰 위험에 빠질 수 있기 때문입니다. 종양 쪽부터 먼저 보존하여 실패했을 때에는 반대편 부갑상선 보존이 여의치 않으면 그야말로 근전절제술이나 아전 절제술을 해서라도 위험에서 벗어날 수 있습니다.

저도 아직 부갑상선보존에 자신이 없을 때에는 종양 반대편 부갑상선을 반드시 보존할 자신이 없어 무조건 많은 부갑상선을 보존하기 위해 종양 쪽부터 어떻게든 부갑상선을 보존하려 했습니다.

그러나 어느 정도 부갑상선보존에 자신이 생긴 근래에는 반대편부터 부갑상선을 보존하고 있고 또 대부분 성공하기 때문에 종양 쪽의 부갑상선은 그렇게 열심히 보존하려고 하지 않고 있습니다. 솔직히 나이가 들어 좀 게을러 진 것도 한 이유입니다.

그러나 초보자일때는 종양이 있는 갑상선의 부갑상선부터 보존을 시도하여 가능한 모든 부갑상선을 보존하려고 노력하는 것이 원칙이라고 생각합니다.

만성갑상선염이 동반되었을 경우는 더욱 리스크가 높아집니다. 어떻게 보면 종양이 큰 경우보다 더 위험할 수 있습니다. 갑상선 전체가 다 영향을 받으므로 모든 부갑상선이 보존하기가 어려울 수도 있습니다. 그러므로 이러한 경우에는 아무 쪽이나 무턱대고 시작하지 말고 양측 네 곳의 부갑상선을 모두 관찰한 후 가장 어려워 보이는 부갑상선부터 보존을 시작하여 비교적 보존이 용이해 보이는 부갑상선을 보험든다고 생각해서 나중에 하는 것이 바람직합니다.

만성갑상선염이 심한 경우에는 아무리 부갑상선보존에 자신이 있다 하더라도 종양이 큰 경우와 전략을 달리 하는 것이 바람직합니다.

그런데 이렇게 종양이 크거나 만성갑상선염이 심한 경우에는 부갑상선을 하나 밖에 보존하지 못하는 경우가 종종 발생하게 됩니다. 그러나 하나만 보존하였어도 원상태에 가깝게 잘 보존되기만 하면 영구성 부갑상선기능저하증은 오지 않으며 일과성 부갑상선기능저하도 거의 오지 않습니다.

부갑상선이 보존되었어도 완전 허혈이 오지는 않았지만 혈액순환이 잘되지 않은 상태이면 일과성부갑상선기능저하가 올 수 있습니다.

부갑상선이 죽지 않고 보존되었어도 얼마나 혈액순환이 정상에 가깝게 보존되었느냐에 따라 보존상태에 차이가 나고 일과성 부갑상선기능저하의 빈도에 차이가 결과로 나타나게 됩니다. 물론 육안으로도 보존상태의 질이 좋은지 나쁜지는 쉽게 알 수 있습니다.

잘 보존된 부갑상선은 원래 상태와 거의 같은 색과 탄력을 유지하나 혈액순환이 좋지 않으면 약간 변색이 오거나 충혈이 오고 크기도 위축되거나 부어 오릅니다. 그런데 저와 같이 갑상선 조직을 남기지 않고 부갑상선과 혈관만을 분리하여 보존하는 방식으로 보존하면 부갑상선이 살던지 죽던지 간에 결과가 명확합니다. 즉 부갑상선에 변색이 오긴 했으나 죽었는지 살았는지 애매한 경우가 많지 않고 따라서 일과성 부갑상선기능저하의 빈도가 아주 낮게 나옵니다.

보통 일과성 부갑상선기능저하의 빈도는 20~30%인데 영구성 부갑상선기능저하의 빈도는 2~3%라는 결과는 저의 수술 결과에서는 볼 수 없습니다.

이러한 결과의 차이는 똑같이 부갑상선을 보존하였다 하여도 보존된 부갑상선의 질, 즉 혈행이 얼마나 원상태에 가깝게 보존되었느냐의 차이 때문이라고 생각합니다. 혈관을 끝까지 완전히 육안으로 확인하지 않고 갑상선 조직을 붙여서 보존했을 때 알게 모르게 혈행에 장애가 발생했기 때문입니다. 저의 경우에는 근래에 일과성 부갑상선기능저하도 거의 없습니다.

10.

부갑상선이 하나만 보존되었으나 사활이 불분명한 경우

부갑상선은 하나만 보존되었어도 정상에 가깝게 보존되면 부갑상선 기능저하의 걱정은 하지 않아도 됩니다.

그러나 보존상태가 애매하여 사활이 불분명하면 이 부갑상선을 어떻게 해야 할지 아주 곤란한 상황이 됩니다.

그대로 두고 수술을 마칠지 이식을 할지 결정해야만 합니다.

이때 어떻게 하느냐에 따라 네 가지 상황이 올 수 있습니다.

부갑상선이 살았는데 그대로 두거나 이식을 한 상황,

부갑상선이 죽었는데 그대로 두거나 이식을 한 상황입니다.

부갑상선이 살았는데 그대로 둔 경우는 가장 잘한 결정이 되겠습니다. 부갑상선기능저하 없이 아무 문제가 없을 것입니다.

부갑상선이 살았는데 이식을 한 경우는 잘못된 결정을 한 것입니다. 살 수 있는 부갑상선을 죽여서 이식을 한 꼴이지만 그래도 이식한 부갑상선이 잘 기능을 해주면 일과성 부갑상선기능저하는 불가피하지만 영구적 기능저하를 피할 가능성은 있습니다. 부갑상선을 하나만 이식하였을 때 부갑상선 기능저하를 얼마나 피할 수 있는지는 다시 말씀드리도록 하겠습니다.

부갑상선이 죽었는데 이식을 하였다면 이 또한 옳은 결정을 한 셈이 되겠습니다.

부갑상선이 죽었는데 그대로 두었다면 최악의 결정을 한 셈입니다.

영구적 부갑상선기능저하가 필연적입니다.

그러므로 옳은 결정을 하기 위해서는 부갑상선의 사활을 잘 분간하여야만 하는데 이것이 쉽지 않습니다.

부갑상선의 사활을 확실히 구분할 수 있는 임상적 지표는 없고 변색의 정도를 가지고 감으로 추측할 수밖에 없습니다.

부갑상선에 조금 절개를 해서 피가 나오는지 확인하는 방법도 시도해 보기는 하지만 이것도 애매한 경우가 있어서 항시 도움이 되지는 않습니다.

그래서 부갑상선의 사활이 불분명 할 때 그대로 둘지 이식을 할 지 결정할 때 그대로 두었을 때와 이식을 했을 때 어떤 결과가 오는지를 보고 결정하는 것이 바람직합니다.

본인이 예전에 1995년 12월부터 2007년 1월까지 갑상선전절제술 시행한 2074례 중 정상 보존된 부갑상선이 없고 부갑상선 자가이식만 시행된 환자 40례와 역시 정상 보존된 부갑상선이 없고 변색이나 충혈이 있지만 생존 가능하다고 판단하여 이식하지 않고 그대로 보존한 39례의 결과를 관찰하였습니다.

우선 이식을 한 결과를 보면 40례중 13례에서는 수술 후 칼슘저하증이 오지 않아서 어딘가 정상부갑상선이 남아있다고 생각되었고 나머지 27예에서는 수술 후 저칼슘혈증이 발생하여 정상 부갑상선이 남은 것이 없다고 판단되었습니다.

이 27례중 19례에서는 시간이 지나면서 혈중칼슘이 정상으로 회복되었고 8례에서는 영구적 저칼슘혈증이 되었습니다(Table 3).

Table 3. 부갑상선 자가 이식 시행 후 부갑상선 기능저하 발생

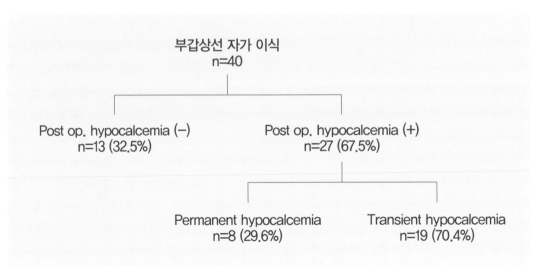

이중 부갑상선 1개만 이식된 경우는 11례가 있었는데 이중 7례는 시간이 경과하면서 혈중 칼슘이 정상으로 회복되었고 4례에서는 영구적 저칼슘혈증이 되었습니다.

1개만 이식된 경우에도 63.6%(7/11)의 환자에서 정상으로 회복되어 예상외로 비교적 양호한 결과를 보였습니다(Table 4).

Table 4. 부갑상선 기능저하 발생 시 이식 개수에 따른 영구성 일과성 부갑상선 기능저하 빈도

이식개수	환자수	환자수	
		부갑상선 기능저하	
		영구성	일과성
1	11	4(36.4)	7(63.6)
2	9	0	9(100)
3	5	4(80)	1(20)
4	2	0	2(100)

Funahashi 등은 부갑상선이 1개만 이식된 경우 모두 영구적 저칼슘혈증에 빠졌다고 보고하였습니다(Surgery 1993:114:92-96).

저의 경우는 제 자신도 의외라 할 정도로 Funahashi의 결과에 비해 좋은 결과를 보였습니다.

그런데 표에 보면 의외로 3개를 이식한 례에서 영구성 칼슘저하가 많았습니다. 이유는 제가 아직 경험이 부족한 초기에 부갑상선이 변색되면 바로 이식을 하지 않고 얼음물에 담궜다가 시간이 지난 후에 이식한 결과 이렇게 좋지 않은 예후를 보인 것이며 이후에는 바로 이식을 시행하였습니다.

참고로 저의 부갑상선이식 술기는 변색으로 살 가망성이 없다고 판단되면 바로 이식합니다. Iris가위로 부갑상선을 거의 죽 같은 모양이 될 때까지 자른 후 흉쇄유돌근(sternocleidomastoid muscle)에 포켓을 만들어 부갑상선 1개를 한 포켓에 넣어 이식을 하고 있습니다.

한편으로 부갑상선 변색이 왔으나 제가 판단할 때 살 수 있을 것으로 보여 보존한 경우 39 례중 1례서만 영구적 저칼슘혈증이 왔습니다(Table 5). 이러한 결과를 보면 술자가 부갑상선의 생사여부를 잘 판단할 수 있는 능력이 있으면 보존하는 것이 낫다고 말할 수 있습니다. 그러나 이런 판단능력은 아주 많은 경험이 필요합니다. 구체적으로 구별할 수 있는 지침도 없고 그야 말로 감에 따라 결정하는 것이기에 초보자에게는 무리이며 잘못 판단하면 그대로 영구적 저칼 슘혈증으로 연결되기 때문입니다.

1개만 이식하여도 저의 경험이 아주 잘못된 것이 아니라면 많은 환자에서 영구적 저칼슘 혈증을 막을 수 있기 때문에 아직 경험이 많지 않은 술자는 부갑상선 생사가 애매할 때 이식을 하는 것이 바람직하다고 생각합니다. 물론 경험이 쌓이면서 점점 생사를 판단할 수 있는 능력 이 생기면 보존하는 방향으로 가는 것이 순리이겠습니다.

Table 5. 변색이나 충혈이 있으나 생존가능성이 있을 것으로 판단한 부갑상선 보존 결과

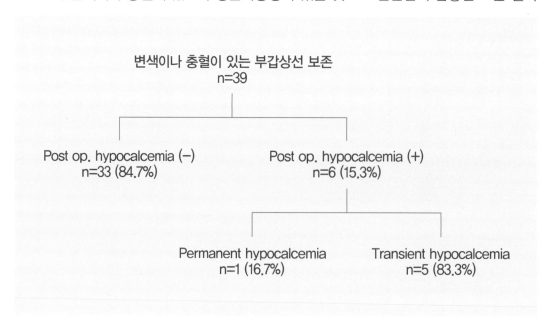

간혹 부갑상선과 혈관을 잘 보존했는데도 변색이 오는 경우가 있습니다.

부갑상선에 변색이 왔더라도 보존과정이 순조로웠고 혈관에 손상을 주지 않았다고 생각되면 바로 떼어내서 이식하지 말고 조금 시간을 두고 관찰하시기 바랍니다. 일시적으로 혈관에 spasm이 있었던지 혈압이 떨어져서 혈액순환이 안되어서 변색이 올 수 있습니다. 시간이 지나면 다시 정상으로 회복될 수도 있는데 이때 바로 떼어내서 이식을 하면 낭패입니다. 아주 검게 변색되어 틀림없이 죽은 것 같이 보였는데도 멀쩡하게 돌아오기도 합니다. 변색이 왔을 때 수술도구로 부갑상선과 혈관을 가볍게 비벼주면 빨리 정상으로 돌아오게 되기도 합니다(Fig 53, 54).

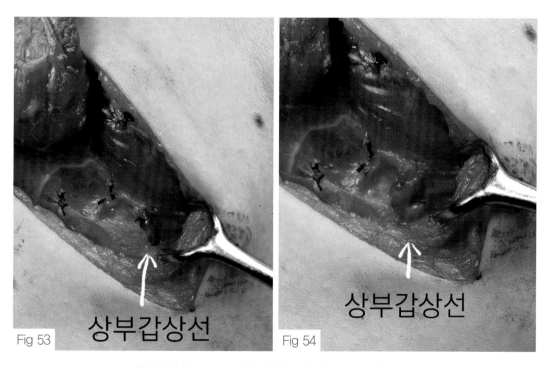

Fig 53, 54. 상부갑상선 보존중 변색이 왔으나 시간이 지난후 정상으로 회복됨.

11.

갑상선전절제술 후 부갑상선기능의 추적관찰

아마도 대부분의 내분비외과의가 갑상선전절제술 후 통상적으로 혈중 칼슘과 부갑상선호르몬검사를 하실 것으로 생각합니다.

물론 개중에는 부갑상선보존이 능숙해서 저칼슘혈증의 빈도가 아주 낮으면 통상적으로 검사하지 않는 분도 있겠지만 많지는 않을 것이라 생각되며 경험이 적은 분들은 검사하지 않을 수가 없을 것입니다.

검사를 하는 목적은 저칼슘증의 확인뿐만 아니라 영구적 저칼슘혈증인지 일과성일지도 예측을 해서 가능한 빨리 적절한 조치를 취하여 환자가 되도록 저칼슘혈증의 증상을 받지 않도록 하는 데에 있습니다. 또한, 위험한 상황을 예방하면서 더 나아가 불필요한 검사를 하지 않고, 하더라도 횟수를 줄이고 입원기간도 단축해서 비용을 줄이는 것입니다. 저칼슘혈증증상이 있으면 굳이 혈액검사를 하지 않더라도 저칼슘혈증을 알 수 있습니다. 그런데 간혹 저칼슘혈증이 없는데도 환자가 저칼슘혈증의 증상을 호소하는 경우가 있을 수 있습니다.

환자가 수술 전 부갑상선기능저하에 대하여 설명을 듣고 수술 후 비슷한 증상이 느껴지면 그런 현상이 발생한 것으로 생각하는 것입니다. 이러한 경우 속지 말고 잘 대처해야 하는데 정말 저칼슘혈증인지 아닌지 경험이 많지 않은 의사는 판단하기 어렵기 때문에 바로 칼슘을 투여하던가 혈액검사를 하기 쉽습니다.

그런데 저칼슘혈증이 수술 직후 바로 오지는 않습니다.

만일 오전에 수술하였다면 빨라도 오후 늦게나 밤에 증상이 오므로 너무 이른 시기에 증상을 호소하면 조금 관찰하여도 됩니다.

물론 검사는 이른 시기에 할수록 빨리 부갑상선 기능저하를 알게 되고 바로 칼슘제를 투여하여 환자가 고통을 덜 느끼게 할 수 있을 뿐 아니라 입원기간도 단축됩니다.

그러나 검사를 일찍 할수록 예측의 정확도는 떨어집니다.

수술 중 부갑상선의 혈액순환에 영향이 올 수 있기 때문에 부갑상선이 손상을 받지 않아도 일시적으로 기능이 저하될 수 있기 때문입니다. 따라서 검사는 시간이 어느정도 지난 후에 하여야 부갑상선의 상태를 정확히 알게 되지만 그렇다고 너무 늦게 할 수도 없습니다.

그래서 언제 칼슘과 부갑상선호르몬(i-PTH)을 검사하는 것이 가장 적절한 것인지에 대해 많은 연구가 되었지만 저의 개인적인 경험으로는 수술 다음날 아침 일찍 검사하면 검사의 예측 정확도도 비교적 양호하면서 시간도 너무 늦지 않는 적당한 시간이라고 생각합니다. 전날 수술 마치고 다음날 아침 6시경 검사를 해서 대략 12시간에서 20시간후에 검사를 하는 셈입니다. Total calcium, ionized calcium, i-PTH를 측정하는데 아직 quick PTH는 하지 못하기 때문에 i-PTH는 만 하루 이상 경과해야 결과를 확인할 수 있습니다.

그러나 혈중 칼슘만 가지고도 어느정도 부갑상선 기능저하 가능성을 예측할 수 있습니다. 수술 후 1일째 칼슘이 정상이면 대부분 이후에도 정상이며 간혹 2일째 이후에 정상 이하로 떨어지는 경우가 있지만 아주 드물어서 저는 1일째 측정한 칼슘이 정상이면 부갑상선 기능저하는 거의 없다고 간주해도 된다고 생각합니다. 1일째 칼슘이 정상이하이면 다음날 다시 검사를 하고 1일째 측정한 i-PTH의결과를 확인하여 향후 경과가 어떨지 예측을 하는데 1일째 칼슘이 정상이하라도 i-PTH가 정상이면 일과성이고 영구성 저칼슘혈증일 가능성은 거의 없습니다. 수술 전 칼슘이 정상에서 낮은 편이던 환자는 부갑상선손상이 없어도 칼슘이 수술 후 조금 낮아지기 때문에 i-PTH가 정상이면 걱정하지 않아도 됩니다. 그러나 i-PTH도 낮다면 영구성 부갑상선기능저하의 가능성이 있습니다. 그렇지만 수술 후 1일째 i-PTH는 낮아도 위 양성인 경우가 종종 있기 때문에 영구성 부갑상선 기능저하를 단정하지는 못합니다. 다시 말해 수술 후 1일째 칼슘과 i-PTH가 정상이면 부갑상선 기능저하가 올 가능성은 거의 없다고 할 수 있지만 칼슘과 i-PTH가 정상 이하일 때 반드시 영구성 부갑상선 기능저하가 온다고 할 수 없습니다.

그런데 여기에 부갑상선 기능저하를 예측하는 데 아주 큰 도움이 되는 것이 있습니다. 그것은 수술 시 부갑상선의 보존 상태입니다.

제 경험상 부갑상선이 1개라도 정상에 가깝게 잘 보존되었으면 부갑상선 기능저하는 거의 오지 않습니다. 만일 수술 후 1일째 칼슘이 정상이하라도 부갑상선이 1개이상 정상 보존되었다면 경과를 관찰하여도 되며 거의 틀림없이 시간이 지나면서 정상으로 회복됩니다.

부갑상선호르몬도 마찬가지여서 수술 후 1일째 i-PTH가 정상이하여도 부갑상선이 정상 보존되었으면 곧 정상 회복됩니다.

수술 시 육안으로 확인된 부갑상선보존상태와 수술 후 1일째 부갑상선호르몬의 부갑상선 기능저하 예측도를 비교해본 적이 있습니다(Surg Today 2016:46(3):356-62).

2009년 1월부터 12월까지 1년간 237명의 갑상선전절제술 환자에서 부갑상선보존상태와 수술 후 1일째 i-PTH의 부갑상선기능저하 예측도를 비교했었습니다. 수술 후 1일째 i-PTH가 10 pg/mL미만이었을 때 부갑상선기능저하 양성예측율이 25.8% 밖에 되지 않았습니다. 이에 비해 음성예측율을 97%로 아주 높았습니다.

수술 후 1일째 i-PTH가 10 pg/mL 이상이면 부갑상선기능저하가 오지 않는다고 거의 단정할 수 있지만 10 pg/mL 이하일 때 부갑상선기능저하가 올지 예측하는 데는 거의 도움이 되지 않았습니다.

이에 비해 부갑상선 보존상태를 보면 부갑상선이 1개 이하로 보존되었을 때 부갑상선 기능저하의 가능성이 60%로 i-PTH보다 높았으며 1개 보존되었을 때 부갑상선 기능저하가 오지 않을 확률이 95% 이상으로 i-PTH보다는 부갑상선 보존상태가 부갑상선 기능저하를 예측하는 데 더 낳은 결과를 보였습니다.

이러한 경험을 바탕으로 저는 갑상선 전절제술후에 통상적으로 칼슘과 부갑상선호르몬을 검사할 필요가 없다고 생각합니다. 육안으로 확인된 부갑상선보존상태로 더 정확하게 부갑상선 기능저하 여부를 예측할 수 있기 때문입니다. 환자가 저칼슘혈증 증상을 호소할 때라도 무조건 혈액검사를 하지말고 우선 부갑상선보존상태부터 확인하시기 바랍니다. 부갑상선이 잘 보존되었다면 증상이 있어도 저칼슘혈증이 아닐 가능성이 높고 검사없이 관찰하셔도 됩니다. 그러나 부갑상선이 보존되었으나 상태가 그리 좋지 않게 보존되었을 때는 당연히 검사를 해야 합니다.

1개만 보존되었는데 상태가 정상에 가깝지 않게 보존되었으면 물론이고 2개 이상이라도 상태가 썩 좋지 않게 보존되었으면 이러한 경우에는 선별적으로 검사를 하는 것입니다. 이렇게 하면 부갑상선을 잘 보존할수록 아주 일부환자에서만 검사를 함으로써 환자가 채혈할 때 불편함을 겪지 않게 하고 비용도 줄이며 일찍 퇴원할 수 있게 되어 환자와 외과의사 모두 만족할 수 있습니다.

과거에 갑상선전절제술 후 전부 칼슘제를 경구 복용시키면 저칼슘혈증도 오지않고 환자를 조기 퇴원시킬 수 있어서 좋다는 논문이 간혹 나온 적이 있었습니다. 저는 그런 논문을 접하고 속으로 기가 찼습니다.

다른 논문들은 납득하기 어려운 이유로 게재해주지 않는 경우가 다반사인데 이런 논문은 쉽게 실리는 것이 이해하기 어려웠습니다.

그 논문의 저자는 수술 후 부갑상선기능저하가 얼마나 많이 오길래 이런 생각을 했을까 우려스럽고 외과의사로서의 자긍심이 있는 사람인지도 궁금했습니다.

그럴 경우 부갑상선기능저하가 있는 사람은 도움이 되겠지만 그렇지 않은 사람에게는 불필요한 약을 먹이는 문제가 발생합니다.

부갑상선을 잘 보존하여 부갑상선기능저하를 가능한 최소화해서 불필요한 검사와 약처방을 줄이면서 조기퇴원하는 것을 목표로 하는 것이 바람직한 치료책이라고 생각합니다.

12.

부갑상선보존술기의 발전 단계

　부갑상선 보존 경험을 쌓아 나가다 보면 자연히 시간이 지남에 따라 술기가 발전하고 보존 성공률이 높아지는 것은 당연합니다.

　그런데 발전하는 속도나 도달하는 수준은 술자에 따라 다를 수 있다고 생각합니다.

　그리고 중요한 것은 어떤 방식으로 부갑상선을 보존하느냐에 따라 발전하는 속도나 수준 차이가 있을 수 있고 이점이 개인차보다 더 중요하다고 생각합니다. 아무리 개인이 우수한 외과의의 자질을 가지고 있어도 어떤 기본적인 방식 내지는 전략을 가지고 경험을 쌓느냐에 따라 큰 차이가 날 수 있다고 생각합니다. 약간 돌려 말하자면 제대로 된 기초가 없으면 발전에 한계가 있을 수밖에 없습니다.

　여담이지만 제가 군의관 시절 야전병원에서 근무하였는데 부대 내에 테니스 코트가 있어서 부대 내 군의관과 간부들이 테니스를 즐겼습니다. 그런데 그 중 상사가 한 분 있었는데 그분이 부대 내 최고수 였습니다. 테니스를 제대로 배운 것이 아니고 군생활하면서 익힌 독학 테니스지만 워낙 운동신경과 체력이 좋으신 분이었습니다. 그래서 부대 내에서는 상대가 없었고 대회 때마다 1등을 독차지 했었습니다.

　그런데 제가 2년차일 때 내과 군의관이 한사람 들어왔는데 이 군의관은 대학 때 테니스부에 있었고 제대로 테니스를 배운 사람이었습니다. 그래서 둘이 일대일로 시합을 하게 되었고 모든 사람이 흥미롭게 구경하였습니다.

　저는 그래도 상사님이 정통파는 아니지만 워낙 오랫동안 잘 치는 것을 보아왔기 때문에 어느정도 새로운 군의관을 상대로도 잘하지 않을까 생각했었는데 막상 시합을 보니 상사는 군의관을 상대로 그야말로 농락을 당하는 것이었습니다. 그래서 아무리 운동신경이 좋고 오랫동안 운동을 했어도 제대로 배운 사람한테는 안되는구나 느끼게 되었습니다.

이제부터 제가 부갑상선보존을 경험하면서 느낀 발전단계를 말씀드릴 텐데 앞서 말씀드린 대로 저의 부갑상선보존 방식은 부갑상선과 분포혈관을 처음부터 끝까지 관찰하고 갑상선조직을 붙이지 않고 혈관만을 분리해서 보존하는 것입니다. 이러한 방식으로 보존할 때 어떻게 발전해 나가는지 말씀드리겠습니다.

제일 처음 단계는 부갑상선과 분포혈관의 해부는 알아나가는 것이 급선무인 단계입니다. 부갑상선의 위치를 확인하는 것도 처음에는 쉽지 않지만 혈관의 해부를 이해하는 것이 훨씬 어렵고 시간도 오래 걸릴 것입니다. 처음에는 나름대로 관찰한 혈관의 주행이 제대로 본 것인지 아닌지 확신이 없고 심지어는 혈관이 동맥인지 정맥인지도 구별이 안 되는 경우도 있습니다. 그러나 부갑상선보존 성공과 실패를 반복 경험하면서 자신이 본 해부가 옳다는 확신이 들기 시작하고 또한 다양한 양상의 혈관주행을 보면서 점차 해부가 정리가 되어 어떤 기본형태가 있다는 것을 알게 되면 훨씬 정확한 혈관주행을 빠르게 파악할 수 있게 됩니다.

물론 모든 수술에서 다 해부를 파악할 수 있게 되기까지는 평생해도 어려울 것이고 저도 아직 부갑상선을 찾지 못하고 혈관주행도 파악하지 못하는 경우가 종종 있습니다만 지금 말씀드리는 단계는 완벽한 단계를 말하는 것이 아니고 그래도 어느정도 기본적인 해부의 이해를 가지고 부갑상선을 보존할 수 있는 단계를 말합니다.

이 정도의 단계에 이르는 시간은 개개인에 따라 다르겠지만 저는 앞서 말씀드린대로 약 1년반정도 지나서 나름대로 어느정도 해부에 대한 이해가 생겼습니다. 그러나 이 시간은 이 해부에 대한 지식을 가진 사람이 가르치면 아주 짧게 단축할 수가 있을 것입니다. 수술을 얼마나 많이 하느냐에 따라 달라지겠지만 많이 하면 대부분 1년 안에 가능하리라고 생각합니다.

제 제자들은 보통 3-6개월이 지나니 어느정도 보인다고 말합니다.

그 다음 두 번째 단계는 어느 정도 해부는 알지만 아직 혈관을 다치지 않게 분리해서 보존하는 것이 아직은 어려운 단계입니다.

따라서 열심히 노력해서 부갑상선과 혈관을 보존하지만 성공률이 높지 않을 때입니다. 혈관이 워낙 가늘고 환자에 따라 탄력성도 천차만별이기 때문에 혈관을 분리하기 위해 모스키토감자를 혈관과 갑상선피막사이에 삽입하고 벌려 나갈 때 어느 정도의 힘을 쓰면 되는지 감을 잡는 데는 많은 시간이 필요합니다.

아직은 실패를 많이 하므로 수술 후 부갑상선기능저하의 발생율도 높아서 수술 때에나 수술 후에나 결과에 대한 불안감이 아직은 많습니다. 그러나 이때 결과가 좋지 않다고 보존방법을 아전절제나 근전절제로 바꿔서 혈관만을 보존하는 원칙을 포기하지 말기 바랍니다.

사람의 몸은 대단히 정교한 기계이기 때문에 계속 사용하면 할수록 처음에는 불가능할 것 같은 미세한 작업도 가능하게 됩니다. 그리고 이러한 두 번째 단계도 지도받을 수 있는 선배가 있으면 빨리 익혀 나갈 수 있을 것입니다.

세 번째 단계는 부갑상선의 해부에 대한 파악 능력도 갖춰지고 혈관보존하는 테크닉도 상당수준으로 발전해서 부갑상선기능저하의 발생율을 아주 낮은 수준으로 부갑상선보존을 할 수 있는 단계입니다. 부갑상선의 보존이 어려운 상황에 맞닥뜨려도 임기응변으로 부갑상선기능저하를 만들지 않을 수 있는 능력이 갖춰져서 영구적 부갑상선기능저하증 1~2%정도, 일과성부갑상선기능저하는 5%미만 정도입니다.

사실 이정도 수준에 이르렀으면 갑상선외과의로서는 최고 수준에 도달했다고 볼 수 있습니다. 그리고 상당히 오랜 기간 경험을 쌓아야 다다를 수 있는 단계입니다. 부갑상선 보존이 아주 어려운 극한적인 상황, 예를 들어 갑상선암의 크기가 아주 크고 주위 조직침범이 심하거나 만성갑상선염이 심하고 오래되어 갑상선이 쪼그라들어 있고 부갑상선이 잘보이지 않거나 보여도 갑상선 피막에 단단히 유착되어 있으면서 혈관도 보이지 않고 보존 가능한 부갑상선이 1개 밖에 없는 경우를 제외하면 대부분 부갑상선기능저하가 오지 않게 수술할 수 있는 단계입니다.

이정도 수준에 오르면 대부분의 외과의들은 나름대로의 자부심을 가지고 만족하실 것입니다.

그러나 이보다 한 단계 더 높은 수준이 있습니다.

네 번째 단계는 영구성 부갑상선기능저하는 거의 없고 일과성 부갑상선기능저하의 발생율도 1~2% 미만에 그치는 거의 완벽하다고 할 수 있는 단계입니다. 과장해서 말하면 신의 단계라고 할 수 있습니다. 이러한 단계에 이르려면 만날 수 있는 모든 부갑상선해부의 종류를 알고 혈관을 다치지 않게 분리 보존할 수 있는 섬세한 술기를 갖춰야 하는 것은 당연하고 부갑상선보존이 어려운 상황일 때 미리 예측하여 처음부터 어떻게 접근할 지 적절한 전략을 세우는 능력도 있어야 하는데 이러한 노련미가 있고 없음에 따라 3단계에 머무느냐 4단계에 도달하느냐가 결정됩니다.

이러한 노련미는 단순히 경험만 많다고 되는 것이 아니고 이러한 경지에 이르겠다고 하는 의지가 있어야 합니다.

그리고 또 한가지 이러한 결과를 얻으려면 조금의 운도 필요합니다.

예를 들어 부갑상선을 하나도 발견하지 못했거나 1개만 보존했는데 혈액순환이 완전치 않아 보이지만 이식하지 않고 그대로 보존한 경우에 부갑상선 기능저하에 빠지지 않았다면 이것은 운이 좋은 것입니다.

야구에서 대부분의 투수가 일생에 한번 할까 말까한 노히트노런이나 퍼펙트게임을 할 때 투수의 실력만 가지고 되는게 아니고 안타가 될 수 있는 타구를 동료야수들이 잘 막아주는 도움 수비가 꼭 필요한 것과 같습니다.

그런데 이러한 운도 이러한 단계에 오르려는 의지를 가지고 노력하는 사람에게 찾아옵니다.

이것이 우리 갑상선외과의들이 목표로 해야 할 최종단계입니다.

그리고 이러한 단계는 처음부터 아전절제나 근전절제를 한 외과의는 도달하기 어려운 단계입니다. 부갑상선에 분포하는 혈관을 기시부에서부터 말단 부갑상선 동맥과 정맥을 모두 확인하면서 보존하는 원칙하에서 시작할 때에만 도달할 수 있는 단계입니다.

13.

혈관만을 분리하여 부갑상선을 보존하는 방법과
갑상선 근전절제나 아전절제를 해서 보존하는 방법의 비교

이제까지 제가 부갑상선을 보존하는 술기와 이렇게 했을 때 얻을 수 있는 결과에 대해 말씀드렸습니다. 百聞不如一見이라고 글보다는 직접 제 수술을 보는 것이 훨씬 도움이 될 것이라고 생각되지만 제 수술을 직접 보여드리는 것이 이제 어렵게 되어 안타깝습니다. 하지만 제 제자들의 수술을 보신다면 이해하는 데에 도움이 될 것입니다.

이제부터 저의 부갑상선 보존방법과 통상적으로 많이 하는 갑상선 근전절제나 아전절제를 통한 보존 방법의 장단점을 비교해 보겠습니다. 먼저 갑상선전절제의 정의에 대해 언급하고 싶습니다. 제가 말하는 갑상선전절제는 그야말로 갑상선조직을 하나도 남기지 않는 것입니다. 부갑상선을 보존할 때 부갑상선과 분포혈관만을 갑상선피막에서 분리해야만 갑상선조직을 하나도 남기지 않습니다. 부갑상선과 혈관의 밑을 깎아내서 분리하는 보존 방식은 아무리 소량의 조직을 남긴다 하더라도 전절제가 아니라고 저는 간주합니다. 그런데 실제로 많은 외과의들이 그런 식으로 부갑상선을 보존하면서 전절제를 하고 있다고 생각하는 것 같습니다. 저의 기준으로는 그것은 근전절제이고 아전절제는 그야말로 1gm이상 많은 조직을 남기는 것입니다. 그런데 처음 수술을 시작하는 초보자일때부터 이런 식으로 부갑상선을 보존하면 혈관을 부갑상선에 들어가는 말단부위까지 관찰하지 않게 되는데 앞서 말씀드린대로 부갑상선보존의 실패는 대부분 혈관 말단부위에서 잘못되어 일어나게 됩니다.

따라서 말단부위의 혈관을 잘 관찰하고 다치지 않게 보존하는 것이 가장 중요한 포인트인데 이곳을 근전절제를 하여 대충 처리하면 반드시 실패하는 경우가 발생합니다. 한 가지 대표적인 예가 이전 상부갑상선보존에서 보았듯이 상부갑상선이 Zuckerkandle groove를 따라 전방에 위치해 있을 때 상갑상선동맥 분지의 어느 부위에서 부갑상선 동맥이 나오는지 정확히 확인하여 그보다 먼 말단부위에서 절단하지 않으면 안되는데 그것을 적당히 자르면 실패하게 됩니다. 또 근본적으로 혈관의 해부가 근전절제나 아전절제로 보존이 불가능한 경우가 있습니다. 대표적인 예가 하부갑상선의 분포혈관이 상갑상선동맥에서 나오는 경우입니다. 이러한 예 외에도 해부의 다양성때문에 통상적으로 갑상선 근전절제나 아전절제로 모든 부갑상선을 다 보존할 수 없다는 것은 명약관화한 사실입니다. 아전절제를 해서 갑상선조직을 아주 많이 남기면 실패율을 조금 낮출 수 있을 지 모릅니다만 그것도 한계가 있으며 드물지만 간혹 남긴 갑상선에서 암이 재발하는 경우도 있습니다. 제가 수술한 환자 중에 외부에서 1차 수술 후 아전절제를 하고 남긴 조직에서 재발하여 수술한 환자가 3명 있었습니다. 그러나 저의 방식으로 부갑상선을 보존하면 거의 모든 다양한 해부의 경우에도 부갑상선을 보존할 수 있고 성공율도 근전절제나 아전절제보다 높은 것은 확실한 사실입니다.

또한 두 방법 사이의 큰 차이점은 일과성 부갑상선기능저하의 발생빈도입니다. 영구성 부갑상선기능저하의 빈도는 큰 차이가 없을지 모르나 일과성 부갑상선기능저하의 빈도는 크게 차이가 날 수 있습니다. 저의 방식으로 보존할 때는 혈관보존의 성공과 실패가 명확하기 때문에 부갑상선기능저하가 없던지 영구성 부갑상선기능저하가 오던지 둘 중에 하나이고 일과성인 경우가 많지 않으나 아전절제나 근전절제를 할 경우에는 부갑상선 주위의 조직을 결찰하거나 전기소작을 할 때 혈관이 절단되지는 않았어도 혈행장애가 발생하여 영구성 부갑상선기능저하는 오지 않지만 일과성 부갑상선기능저하가 많이 발생하게 됩니다. 그렇기 때문에 문헌에 보통 보고되는 영구성과 일과성 부갑상선기능저하빈도에 큰 차이가 있는 것입니다. 일과성 부갑상선기능저하를 가능한 방지하는 것도 중요합니다. 환자의 입원기간이 길어지고 검사 횟수가 늘어나고 일시적으로 약을 먹어야 하는 불편함을 없애주는 것도 외과의의 중요한 의무입니다.

그러나 문제는 저의 방식이 초보자에게는 매우 어렵다는 점 입니다.

혈관을 관찰하는 것도, 발견한 가느다란 혈관을 보존하는 것도 어려운 작업이어서 처음에는 실패율이 아주 높습니다. 처음에는 근전절제나 아전절제를 해서 보존하는 것보다 성적이 더 나쁠 수 있습니다. 물론 경험이 쌓이면서 점차 성적이 나아져 가겠지만 배우는 데 시간이 오래 걸리고 그동안 받는 스트레스는 상당할 것입니다.

그러나 계속 이러한 방법으로 부갑상선을 보존하여 어느 수준에 이르면 근전절제나 아전절제보다 더 성적이 좋아지고 하면 할수록 더 보존성공율이 높아질 것입니다. 아전절제나 근전절제를 하여 부갑상선을 보존하면 처음부터 아주 쉽게 배울 수 있고 보존성공율도 어느정도 양호합니다. 그러기 때문에 이런 식으로 부갑상선을 보존하시는 분 중에서는 제가 부갑상선을 보존하는 방법을 보고 그렇게까지 어렵게 할 필요가 있느냐고 묻는 분이 있습니다. 심지어는 저한테 술기를 배운 제자도 그렇게 생각하는 것 같습니다. 그러나 아전절제나 근전절제를 하시는 분들은 어느 한도에 다다르게 되면 정체되어 더 이상 보존 성공율이 높아지지 않을 겁니다.

저는 역사책 읽는 것을 좋아합니다. 특히 전쟁사에 대하여 관심이 많다 보니 자연히 무기에 흥미를 가지고 있습니다. 과거 고대에서 중세시대까지 동서양 모두 전쟁에 많이 사용되었던 쇠뇌라는 활과 비슷한 무기가 있습니다. 활은 활시위를 손과 팔로 잡아당겨 화살을 발사하는데 쇠뇌는 활의 가로로 활 틀이 있어서 활시위를 당겨 활 틀에 걸쳐놓고 방아쇠와 비슷한 장치를 이용하여 화살을 발사합니다. 따라서 쇠뇌는 활시위를 당기는 동작을 하지 않아도 되고 쇠뇌틀을 잡고 총을 조준하듯이 발사하면 되기 때문에 다루기가 쉽고 익히는 데 시간이 오래 걸리지 않습니다. 반면에 화살을 장전하고 발사하는 데 시간이 많이 걸리고 아무데서나 사용할 수가 없으며 특히 말을 타면서는 사용할 수가 없습니다. 이에 비해 활은 처음에는 익히기가 어렵고 훈련에 시간이 많이 걸리지만 일단 익히고 나면 발사속도가 쇠뇌에 비해 훨씬 빠르고 휴대가 간편하여 말을 타면서도 사격을 할 수 있어 훨씬 유용합니다. 그래서 오래 훈련시키기 어려운 일반병사들은 쇠뇌를 사용하고 전문적인 무사들은 활을 사용하였습니다. 활과 쇠뇌의 우열이 드러난 사례가 영국과 프랑스 사이에 벌어졌던 백년전쟁중 크레시전투입니다. 영국의 장궁과 프랑스군에 속한 제노바 쇠뇌 부대사이의 전투에서 일방적으로 영국이 승리하였습니다(Fig 55). 우리 내분비 외과의사들은 일반병사보다는 무사가 되었으면 합니다.

모든 환자에서 저와 같은 방법으로 부갑상선을 보존할 수는 없습니다. 말단부위의 혈관이 너무 가늘고 만성갑상선염이 있어 혈관이 갑상선에 너무 단단히 붙어 있으면 혈관만을 분리하는것이 불가능한 경우도 있습니다. 그러한 경우에는 근전절제를 하는 것이 현명합니다. 저도 그럴 때는 망설임없이 근전절제를 합니다. 그러나 근전절제를 하여 부갑상선을 보존하더라도 혈관의 주행은 끝까지 잘 확인하고 하여야 합니다.

같은 근전절제를 하더라도 처음부터 무조건 근전절제를 하였던 외과의와 처음부터 혈관을 관찰하고 혈관만을 분리해서 부갑상선을 보존하였던 외과의와 하는 근전절제는 다른 것입니다.

피카소의 인물화를 보면 얼핏 어린아이들의 유치한 그림과 비슷한 것을 느낄 수 있습니다. 그렇다고 어린아이들의 그림이 피카소의 그림과 같은 수준이 될 수는 없습니다.

Fig 55. 크레시 전투를 묘사한 연대기 작가 프로아사르의 연대기 삽화. 오른쪽 잉글랜드 장궁과 왼쪽 프랑스측 제노바의 쇠뇌 부대간의 전투양상.

14.

요약 및 마지막 잔소리

지금까지 제 개인적인 부갑상선보존의 원칙과 방법에 대해 장황하게 말씀드렸습니다만 한 마디로 요약하자면 부갑상선과 이에 분포하는 혈관을 기시부에서부터 말단부까지 육안으로 확실하게 관찰하고 혈관만을 분리하여 갑상선 조직을 남기지 말고 보존하자는 것입니다. 이러한 방법으로 보존할 때의 장점은 앞으로 말씀드렸기 때문에 반복하지는 않겠습니다만 단점은 경험이 많지 않은 외과의가 이러한 방법으로 보존할 때 처음에는 쉽지 않고 실패율이 높을 수밖에 없는 점입니다.

한창 분화갑상선암의 절제범위에 대해서 전절제와 보존적절제중 어느 것이 바람직한가 논쟁이 있었을 때 보존적 절제를 주장하는 외과의 중 B. Cady 라는 분이 있었습니다. 이분이 한 말 중에 "Perfect is the enemy of good" 이라는 명언이 있습니다.

갑상선전절제를 해도 보존적 절제에 비해 이득은 적고 합병증만 많아지기 때문에 좋지 않다는 말입니다.

저는 초기가 아닌 유두상암에서는 전절제를 지지하는 편이었지만 이 말에 대해서는 공감하는 바가 컸었으며 아주 좋은 말이라고 생각했었습니다. 암수술을 하는 외과의사가 꼭 마음에 새겨둘 만한 명언이라고 생각합니다. 그러나 만약 합병증율을 0% 가까이 낮출 수가 있다면 얘기는 달라질 수 있습니다. 합병증으로 인해 Perfect한 수술에 제약이 있었는데 부갑상선보존에 자신이 있다면 진행된 유두상암에서 필요한 적극적인 수술을 할 수 있습니다.

부갑상선보존이 단지 합병증율을 낮추는 데만 의미가 있는 것이 아니고 암수술을 적극적으로 할 수 있도록 기여하는 면도 중요합니다. 합병증만 낮으면 "Perfect is good" 입니다.

저의 경우 근래 2년 정도 부갑상선기능저하의 빈도가 영구적, 일과성 모두 0%를 유지하고 있습니다(Table 6). 제가 아산병원에서 갑상선 내분비외과를 맡아서 일을 시작하면서 내심 저한테 오시는 환자는 어느 누구에 비해서도 더 좋은 치료를 받게 하겠다는 각오를 했고 여러 구체적인 목표를 세웠는데 그중 하나가 영구적 부갑상선기능저하의 빈도를 0%까지 낮춰보겠다는 것이었습니다.

여러분이 이것에 대해 어떻게 생각하실지 모르겠지만 사실 그 당시 다른 사람이 이 소리를 들었다면 초보자인 주제에 간이 부었다고 생각했을 겁니다. 그 당시 일반적으로 영구적 부갑상선기능저하가 5% 미만이면 아주 우수한 외과의라고 인정했고 일과성기능저하는 20~30%면 괜찮은 정도라고 했었습니다.

Table 6. 저자의 갑상선전절제술후 저칼슘혈증 빈도의 변화

Period	2009	2015	2017	2018	2019	2020
No of total thyroidectomy	244	109	110	101	106	99
Transient hypocalcemia	13(5.3%)	3(2.7%)	2(1.8%)	2(2.0%)	0	0
*chemical	10(4.1%)	2(1.8%)	1(0.9%)	1(1.0%)	0	0
**symptomatic	3(1.2%)	1(0.9%)	1(0.9%)	1(1.0%)	0	0
Permanent hypocalcemia	1(0.4%)	0	0	0	0	0

*Serum calcium below normal range less than 2 days post operatively
** Oral calcium or i.v calcium given to relieve symptom

제 능력을 넘어서는 목표를 잡은 셈이지만 달성하기 위해 노력했습니다.

수술을 할 때마다 저칼슘혈증이 오지 않을까 불안한 마음에 외줄타기하는 것 같았습니다. 부갑상선이 왜 그렇게 작고 혈관은 왜 그렇게 가는 것인지 못마땅하고 조물주가 그렇게 만든 것이 원망스러웠습니다. 그러나 점차 실력이 쌓여가면서 제 방식이 틀리지 않았다는 확신이 들고 목표 달성하는 것이 가능한 것 같은 느낌이 들면서 조물주에 대한 불만도 자연스레 없어졌습니다. 능력이 없는 사람이 남 탓을 하게 됩니다.

이제 갑상선외과의로서의 경력을 마무리하는 즈음에 제가 처음 잡았던 영구성 부갑상선 기능저하증 0%의 목표를 이룬 것은 물론 덤으로 일과성 부갑상선기능저하증 0%도 기록하게 되어 매우 기쁘고 또 후배들에게 한마디 해줄 수 있는 밑천을 얻었다는 생각에 그동안 허송세월하지 않은 것 같은 느낌입니다. 여러분도 이렇게 할 수 있으며 저보다 더 빠른 시일 내에 이런 수준에 도달할 수 있을 것으로 생각합니다.

마지막으로 후배들에게 하고 싶은 말은 이왕 갑상선 전문 외과의가 된 이상 누구보다도 뛰어난 최고의 외과의가 되겠다는 생각을 가지시기 바랍니다. 그러면 자연스레 구체적인 목표를 설정하게 되고 그 목표를 달성하기 위한 구체적인 방법을 모색하게 됩니다. 그러면 내가 지금 하고 있는 것이 최선인지, 더 좋은 방법은 없는 것인지 따져보게 됩니다. 선배의 가르침이나 책, 논문에 나온 것이 모두 절대적인 것은 아닙니다. 항상 객관적인 눈으로 보고 나름대로의 경험에서 얻은 생각을 기존의 지식과 비교해 보시기 바랍니다. 그러면 평범한 외과의가 아닌 앞서가는 외과의가 될 것입니다.

그런데 가장 중요한 것은 뛰어난 외과의가 되겠다는 생각이 간절한 진심이어야 한다는 점입니다. 누구나 생각으로는 좋은 외과의사가 되고 싶어합니다만 간절하게 원하는 사람은 많지 않습니다. 이것이 어려운 점입니다.

이 진심을 어떻게 가질 수 있는지는 조언해 드리기 어렵습니다.

여러분 각자의 몫이고 운이 좋으신 분은 좋은 계기가 있을 수 있습니다.

이제 할 말을 다한 것 같습니다. 조금이라도 여러분께 도움이 되었으면 합니다.

요즘 의료계가 어수선합니다. 마음이 울적한데 창 밖을 보니 8월의 기나긴 늦장마가 끝나갈 무렵 한강물과 구름이 언제나 그랬듯이 무심히 천천히 흐르고 있습니다. 오랜만에 파란하늘이 빼꼼히 보입니다. 아마도 내일은 맑은 하늘을 볼 수 있을 것 같습니다(2020년 8월 어느날 연구실에서).